LE MASQUE
DE CTHULHU

H. P. LOVECRAFT
ET A. DERLETH

LE MASQUE
DE CTHULHU

Traduit de l'américain par
Pierre SALVA

CHRISTIAN BOURGOIS EDITEUR

Titre original :
THE MASK OF CTHULHU

Copyright, 1958

by August DERLETH

The Return of Hastur, copyright 1939, by Weird Tales; copyright 1941, 1953, by August Derleth.

The Whippoorwills in the Hills, copyright 1948, by Weird Tales; copyright 1953, by August Derleth.

Something in Wood, copyright 1947, *by Weird Tales;* copyright 1953, by August Derleth.

The Sandwin Compact, copyright 1940, by Weird Tales; copyright 1941, 1953, by August Derleth.

The House in the Valley, copyright 1953, by Weird Tales; copyright 1953, by August Derleth.

The Seal of R'lyeh, copyright 1957, by King-Size Publications Inc.

© Christian Bourgois éditeur, 1972, pour l'édition française.

ISBN : 2-266-01519-2

Howard Phillips LOVECRAFT (1890-1937)

Après sa mort prématurée, Lovecraft a été reconnu comme l'un des maîtres mondiaux de l'Epouvante. Né à Providence (Rhode Island), il passa toute sa vie dans cette région, et fit seulement quelques brèves excursions dans les villes les plus anciennes du continent nord-américain pour satisfaire sa passion des choses antiques. Dans sa jeunesse, une maladie chronique fit de lui un lecteur vorace ; porté par sa nature solitaire vers l'astronomie et l'imprimerie d'amateur, il chercha une compensation à cette solitude dans le développement d'une imagination active, créant ainsi le Panthéon mémorable des terres et des êtres mythiques qui devint le Mythe de Cthulhu, auquel appartiennent la plupart de ses récits. L'œuvre de Lovecraft a été largement publiée, radiodiffusée et filmée, et ses récits mémorables ont été publiés en Grande-Bretagne, en Allemagne, en France, en Espagne, au Portugal, au Danemark, en Italie, en Argentine, et dans d'autres pays, parmi lesquels des pays situés derrière le Rideau de Fer.

August DERLETH (1909-1971)

August Derleth, qui a écrit plus de cent cinquante livres et des milliers d'articles pour des magazines et des journaux du monde entier, est parmi tous les écrivains contemporains l'un des plus éclectiques et des plus féconds. Ses apports au domaine de l'Epouvante sont nombreux, mais le plus important est peut-être la fondation d'Arkham House, il y a quelque trente ans. Correspondant de Lovecraft dès sa jeunesse (à partir de 1925), il écrivit ses œuvres principales après la mort de celui-ci tout en suivant sa tradition. Dans le domaine de l'Epouvante, il a publié, seul ou en collaboration avec Lovecraft, plusieurs ouvrages fantastiques. Outre Lovecraft lui-même, dont l'œuvre, grâce à lui, est maintenant connue dans le monde entier, il a publié les récits d'Epouvante d'auteurs tels que Clark Ashton Smith, Donald Wandrei, Seabury Quinn, Algernon Blackwood, Arthur Machen, etc.

LE RETOUR D'HASTUR

1

EN fait, il y a longtemps que tout a commencé. Combien de temps, je suis incapable de le préciser. En ce qui concerne mon premier contact avec cette affaire, qui a ruiné ma carrière et mis en danger ma santé mentale, tout a commencé avec la mort d'Amos Tuttle. C'était au cours de l'hiver dernier, alors que le vent du sud apportait un parfum de printemps. Je m'étais rendu ce jour-là dans ce lieu historique hanté de légendes qu'est Arkham. Amos avait appris ma présence par le docteur Ephraïm Sprague qui le soignait. Il avait demandé à ce dernier de prendre contact avec moi à Lewiston House et de me conduire dans sa sombre propriété de Aylesbury Road. Ce n'était pas un lieu où je me rendais avec plaisir, mais le vieillard me payait assez cher pour m'imposer ses excentricités. En outre, Sprague m'avait déclaré sans ambages que son patient était mourant et que sa fin n'était plus qu'une question d'heures.

C'était la vérité. Amos eut à peine la force de renvoyer Sprague pour me parler seul à seul. Pourtant, sa voix, bien qu'un peu rauque, était assez forte et facile à comprendre.

— Vous connaissez mon testament, dit-il.

Ce testament avait été un sujet de discussion entre

11

nous, en raison d'une clause qui ordonnait la destruction de la maison avant la remise de la propriété à son héritier et seul neveu survivant, Paul Tuttle. Cette clause précisait bien que la maison ne devait pas être démolie mais détruite, ainsi qu'un certain nombre de livres, nommément désignés. De toute manière, son lit de mort n'était pas un endroit indiqué pour recommencer une fois de plus cette discussion. Je me contentai donc d'opiner en silence. Que n'ai-je obéi jusqu'au bout sans poser de questions !

— Il y a en bas, poursuivit-il, un ouvrage qu'il faudra rendre vous-même à la bibliothèque de l'Université.

Il m'en indiqua le titre. Sur le moment, celui-ci ne me dit pas grand-chose, mais, depuis, il a pris pour moi une signification profonde, comme s'il était devenu le symbole de l'horreur des temps anciens, de la folie cachée derrière le voile ténu de la vie de tous les jours. Il s'agissait de la traduction en latin du *Necronomicon* écrit par un Arabe véritablement dément, Abdul Alhazred.

Je n'eus aucune peine à trouver l'ouvrage en question. Depuis vingt ans, Amos vivait en véritable reclus, au milieu de livres venus de toutes les parties du monde : de vieux recueils aux pages moisies, avec des titres qui auraient effrayé un esprit moins endurci : le sinistre *De Vermis Mysteriis* de Ludvig Prinn, le terrible *Culte des Goules* du Comte d'Erlette, et le démoniaque *Unaussprechlichen Kulten* de von Juntz. J'ignorais alors leur rareté et la valeur inestimable de certaines pièces : *le Livre d'Eibon, les Manuscrits Pnakotiques*, le *Texte de R'lyeh*. Un examen des comptes d'Amos Tuttle, après sa mort, devait m'apprendre qu'il avait payé pour ces ouvrages des sommes fabuleuses. Le plus cher avait été le *Texte de R'lyeh*, qu'il avait fait venir du cœur de l'Asie, pour le prix de cent mille dollars. Dans le livre de comptes d'Amos, en regard du titre de cet ouvrage jauni par le temps, figurait une mention qui m'intrigua ; après la somme versée, Amos Tuttle avait écrit de son écriture fine : en sus à ma promesse.

Ces faits ne m'apparurent pas avant que Paul Tuttle n'entrât en sa possession, mais, auparavant, différents événements s'étaient produits, événements qui auraient dû éveiller mes soupçons, étant donné les légendes locales sur la présence d'une puissance surnaturelle hantant la propriété. Le premier d'entre eux ne fut guère important au vu des suivants. En allant rendre le *Necronomicon* à la bibliothèque de l'Université, je fus directement conduit chez le directeur, le docteur Llanfer. Il me somma d'expliquer la présence de ce livre entre mes mains. Je n'avais aucune raison de refuser, et je découvris aussitôt que ce volume rare n'aurait jamais dû quitter la bibliothèque. Amos Tuttle, n'ayant pu obtenir l'autorisation de l'emprunter, l'avait dérobé au cours de l'une de ses rares visites. Il avait auparavant préparé une merveilleuse imitation du livre, avec une couverture à peu près identique, des têtes de chapitre et des premières pages reconstituées de mémoire. A la première occasion, il avait substitué la copie à l'original, et il était rentré chez lui avec l'un des deux exemplaires qui se trouvaient sur le continent nord-américain, un des cinq connus dans le monde entier.

Le deuxième fait était un peu plus impressionnant, bien qu'il soit souvent mentionné dans les histoires sur les maisons hantées. Paul Tuttle et moi avions entendu, à différentes heures de la nuit de la mort de son oncle, des bruits de pas. Ces bruits étaient étranges. Ils ne semblaient pas provenir de l'intérieur de la maison. Ils paraissaient provoqués par une créature d'une taille démesurée, hors de proportion avec les données humaines, qui aurait marché sous le sol à une certaine distance du bâtiment. Le son faisait vibrer les murs et semblait provenir des profondeurs de la terre. Quand j'évoque des pas, c'est par manque de mot plus exact, car ce n'était pas un bruit ordinaire, mais celui que ferait un objet visqueux, gélatineux, supportant une énorme masse qui pilonnerait si lourdement le sol que la vibration produite se répercuterait jusqu'à nous avec ce son si particulier. Il n'y avait pas eu d'autre manifestation et celle-ci avait d'ailleurs cessé, par une singulière coïncidence, à l'heure matinale où le cadavre d'Amos Tuttle fut emporté quarante-huit heures plus tôt que nous n'avions prévu. Nous décidâmes que ces bruits étaient produits par des éboulements de terrain, non seulement parce que nous n'y avions pas prêté beaucoup d'attention, mais en raison d'un événement qui se produisit avant la prise de possession officielle de la vieille maison par Paul Tuttle.

Ce dernier événement fut le plus impressionnant, et des trois personnes qui y assistèrent, je suis la seule à être encore en vie, le docteur Sprague étant mort il y a un mois jour pour jour, bien qu'il n'ait jeté qu'un coup d'œil et dit :

— Qu'on l'enterre immédiatement !

Il n'eut pas à répéter son conseil. Le changement qui s'opérait sur le corps d'Amos dépassait en horreur tout ce qu'on pouvait imaginer et suggérait des choses horribles : le corps n'entrait pas normalement en putréfaction, mais se transformait peu à peu en *autre chose ;* cela commença par une étrange lueur iridescente sur tout le cadavre, lueur qui s'assombrit jusqu'à devenir couleur d'ébène, et par l'apparition, sur la chair gonflée des mains et du visage, de minuscules excroissances en forme d'écailles. La forme de la tête se modifiait aussi, elle paraissait s'allonger, prendre une curieuse ressemblance avec celle d'un poisson dont l'odeur de plus en plus précise s'exhalait d'ailleurs du cercueil. Que ces changements ne fussent pas seulement un jeu de l'imagination fut dramatiquement confirmé lorsque, par la suite, le cadavre fut retrouvé à l'endroit où ses malfaisants compagnons de l'au-delà l'avaient déposé. Bien qu'alors il eût enfin commencé à se décomposer d'autres furent avec moi témoins des terribles et si évocateurs changements qui s'étaient produits, quoique, Dieu merci, ils n'eussent aucune idée de ce qui s'était passé avant. Mais au moment où Amos Tuttle gisait dans sa vieille demeure, rien ne laissait présager ce qui allait arriver ; nous ne perdîmes pas de temps pour fermer le cercueil et encore moins pour le transporter jusqu'au caveau couvert de lierre des Tuttle, au cimetière d'Arkham.

Paul Tuttle avait à cette époque une quarantaine d'années, mais comme tant d'hommes de sa génération, son visage et sa silhouette lui donnaient un air bien plus jeune. En fait, son âge était seulement trahi par quelques traces de gris dans sa moustache et aux tempes. Il était grand, brun, un peu fort, avec des yeux bleus très francs que des années d'études et de recherches n'avaient pas condamnés au port de lunettes. Et il n'était pas ignorant des lois, car il me fit rapidement savoir que si, en tant qu'exécuteur testamentaire de son oncle, je tentais d'appliquer la clause de la destruction de la maison d'Aylesbury Road, il contesterait la validité du testament sous le vraisemblable prétexte qu'Amos Tuttle ne jouissait pas de toutes ses facultés mentales. Je lui répliquai que ce serait sa parole contre celle du docteur Sprague et la mienne, mais je ne pouvais me cacher que l'extravagance de cette clause jouerait contre nous. Personnellement, je trouvais la destruction demandée dépourvue de toute justification, et je ne tenais pas à perdre mon temps à plaider une affaire de si peu d'importance. Cependant, si j'avais eu le don de prévoir l'avenir, si j'avais imaginé les horreurs qui allaient suivre, j'aurais exécuté le testament d'Amos en dépit de toutes les décisions du tribunal. Malheureusement, ce n'était pas le cas.

Tuttle et moi, nous rendîmes visite au juge Wilton pour lui exposer le problème. Il estima comme nous que la destruction de la villa paraissait inutile et, à plusieurs reprises, donna raison à Paul quant à la déficience mentale de son oncle.

— Je l'ai toujours connu un peu bizarre, me dit-il. Sincèrement, Haddon, oseriez-vous vous présenter à la barre des témoins et jurer qu'Amos était sain d'esprit ?

Me rappelant le vol du *Necronomicon* à l'Université, je dus convenir que je ne le pourrais pas.

C'est ainsi que Paul Tuttle prit possession de la propriété d'Aylesbury Road. Quant à moi, je retournai travailler à Boston, pas mécontent de la tournure des événements, sans pourtant pouvoir me défaire d'une impression de malaise difficile à définir, d'un insidieux pressentiment de tragédie imminente, que nourrissait évidemment le souvenir de ce que nous avions vu dans le cercueil d'Amos Tuttle avant de le sceller et de l'enfermer dans le caveau familial au cimetière d'Arkham.

2

JE ne revis pas avant un certain temps les toits en croupe et les balcons géorgiens d'Arkham. Ce jour-là je m'y étais rendu pour un client qui m'avait demandé de veiller à ce que sa propriété de l'antique Innsmouth fût bien respectée par la police et les agents du gouvernement qui avaient pris possession de la ville hantée, abandonnée par tous ses habitants bien qu'il se fût alors écoulé plusieurs mois depuis les explosions mystérieuses qui avaient détruit des immeubles du bord de la mer et une partie du Récif du Diable à quelques encablures au large — mystère soigneusement gardé et dissimulé depuis, bien que j'aie appris l'existence d'une brochure prétendant dévoiler la vérité sur les horribles événements d'Innsmouth, œuvre publiée à compte d'auteur par un écrivain de Providence. Il était impossible à l'époque d'atteindre la ville, dont les agents des services secrets avaient barré tous les accès. Cependant, en m'adressant à qui de droit, j'avais obtenu l'assurance que la propriété de mon client serait parfaitement protégée ; elle se trouvait en effet assez loin de la côte. Je poussai alors jusqu'à Arkham où j'avais quelques petites affaires à régler.

Je m'étais assis pour déjeuner dans un petit restaurant près de l'Université où je m'entendis, pendant le repas, interpeller par une voix qui me sembla familière. Je levai les yeux et reconnus le docteur Llanfer, le directeur de la bibliothèque de l'Université. Il paraissait quelque peu troublé et son visage trahissait sa préoccupation. Je le priai de se joindre à moi, mais il déclina mon invitation. Toutefois, il s'assit sur le bord de sa chaise.

— Etes-vous allé voir Paul Tuttle ? me demanda-t-il à brûle-pourpoint.

— Je compte lui rendre visite cet après-midi, pourquoi ? Quelque chose ne va pas ?

Son visage s'empourpra légèrement.

— Je n'en sais rien, mais il court d'étranges rumeurs sur Arkham. Et le *Necronomicon* a de nouveau disparu.

— Bon sang ! Vous n'allez pas accuser Paul Tuttle de l'avoir volé ? (J'étais mi-surpris, mi-amusé.) Je ne vois pas de quelle utilité il pourrait lui être.

— Pourtant, c'est lui qui le détient, affirma le docteur Llanfer. Mais je ne crois pas qu'il l'ait dérobé et je ne voudrais pas que vous vous mépreniez sur le sens de mes paroles. A mon avis, un de mes employés le lui a donné et il a peur d'avouer l'énormité de sa faute. Mais le fait est là. Le livre n'a pas été rendu et j'ai bien peur d'être obligé d'aller le chercher.

— Je pourrai lui en parler, si vous voulez.

— Je vous en saurais gré, me répondit-il, avec un certain empressement. Je crois comprendre que vous n'avez pas eu vent des rumeurs qui courent dans la région.

Je secouai négativement la tête.

— Elles ne sont, vraisemblablement, que le fruit d'une trop grande imagination, reprit-il, mais son air préoccupé prouvait qu'il ne voulait ou ne pouvait pas se satisfaire d'une explication aussi prosaïque. Il se révèle que des passants, empruntant Aylesbury Road, ont entendu des bruits étranges, tard dans la nuit, provenant, apparemment, de la propriété des Tuttle.

J'éprouvai une soudaine appréhension :

— Quel genre de bruits ?

— Des bruits de pas, semble-t-il. Pourtant, personne ne les a définis en tant que tels, à part un jeune garçon qui les a qualifiés de « pâteux » et a dit que quelque chose d'énorme devait marcher dans de la boue et de l'eau à proximité.

Les bruits étranges que Paul Tuttle et moi avions entendus la nuit de la mort d'Amos Tuttle m'étaient sortis de l'esprit, mais cette allusion du docteur Llanfer à des pas me les remémora. Je crains de m'être un peu trahi, car le docteur Llanfer remarqua mon intérêt soudain ; heureusement, il l'interpréta sans doute comme l'aveu que, malgré mes dénégations, j'avais bien entendu ces rumeurs. Je préférai ne pas le détromper et, en même temps, j'éprouvai un vif désir de ne plus entendre parler de cette affaire ; je ne l'interrogeai pas davantage, il se leva pour retourner à ses occupations et me quitta, ma promesse de réclamer le volume manquant à Paul Tuttle résonnant encore à mes oreilles.

Son histoire, pour aussi vague qu'elle eût été, fit retentir au fond de moi une sonnette d'alarme. Je ne pouvais empêcher mes souvenirs de refaire surface... Les pas que nous avions entendus... La bizarre clause du testament d'Amos Tuttle... L'horrible métamorphose du cadavre... Je pressentais déjà vaguement qu'un sinistre enchaînement d'événements était en train de se produire. Ma curiosité naturelle s'éveillait, non sans une obscure impression de dégoût, un conscient désir de tout oublier et le retour de l'étrange et insidieuse conviction de l'imminence d'une tragédie déjà ressentie. Mais je pris la décision de voir Paul Tuttle le plus tôt possible.

Mon travail à Arkham m'occupa tout l'après-midi et

ce n'est qu'à la nuit tombante que je me retrouvai devant la lourde porte de chêne de la maison des Tuttle. En réponse à un coup de sonnette assez impératif, c'est Paul lui-même qui vint m'ouvrir. Il tenait une lampe à pétrole à bout de bras et scrutait la pénombre pour distinguer son visiteur.

— Haddon! s'exclama-t-il en ouvrant largement la porte. Entrez, entrez!

Au ton de sa voix, il était manifestement très heureux de me revoir. La chaleur de cette réception me confirma dans mes intentions de ne pas lui faire part des rumeurs dont on m'avait parlé et de ne mener mon enquête sur la disparition du *Necronomicon* qu'à un moment bien choisi. Je me rappelai qu'avant la mort de son oncle, Paul préparait une thèse de philologie sur l'évolution de la langue des Indiens Sac, et je décidai de le questionner sur ce travail comme si rien d'autre ne m'intéressait.

— Vous avez dîné, je suppose, dit Tuttle en me conduisant à travers le hall vers la bibliothèque.

Je répondis que j'avais effectivement mangé à Arkham.

Il posa la lampe sur une table couverte de livres, repoussant quelques papiers pour ce faire, et m'invita à m'asseoir. Il retrouva le siège qu'il avait manifestement quitté pour venir m'ouvrir. Je voyais maintenant qu'il avait les cheveux ébouriffés et qu'il s'était laissé pousser la barbe. Il avait aussi pris du poids, conséquence, sans doute, des études très absorbantes qui le retenaient à la maison et lui faisaient négliger les exercices physiques.

— Où en est votre thèse? lui demandai-je.

— Je l'ai mise de côté, répondit-il rapidement. Je m'y remettrai peut-être plus tard. Pour le moment, je m'intéresse à quelque chose de plus important ; de quelle importance, je ne peux pas encore vous le dire.

Je constatai alors que les livres épars sur les tables n'étaient pas les ouvrages universitaires qui garnissaient son bureau d'Ipswich, mais non sans une certaine appréhension, je constatai qu'il s'agissait des ouvrages nommément condamnés par l'oncle de Paul Tuttle dans son testament, ce qu'un coup d'œil aux espaces vides sur les étagères prohibées confirmait clairement.

Paul se tourna vers moi et baissa la voix comme s'il craignait d'être entendu.

— A vrai dire, Haddon, c'est un colossal, un gigantesque exploit de l'imagination. Seulement, dans ce cas précis, je ne crois plus tellement que ce soit imaginaire. Je suis même persuadé du contraire. Je me suis interrogé sur cette clause du testament de mon oncle. Je n'arrivais pas à comprendre pourquoi il voulait faire détruire sa maison et j'en ai déduit, à juste titre, que la raison devait s'en trouver dans les pages de ces recueils qu'il avait si soigneusement condamnés. (D'un geste de la main, il désigna les incunables amassés devant lui.) Alors, je les ai examinés. Je peux vous dire que j'ai fait des découvertes absolument invraisemblables, et quelquefois d'une telle horreur que j'ai souvent hésité à me plonger plus profondément dans ce mystère. Sincèrement, Haddon, je n'ai jamais rien vu d'aussi surprenant et je dois d'ailleurs dire que cela m'a obligé à me livrer à des recherches considérables, indépendamment des ouvrages rassemblés par mon oncle.

— Vraiment ! dis-je sobrement. Et je suppose que vous avez dû énormément voyager ?

Il secoua négativement la tête.

— Absolument pas, exception faite pour un petit voyage à la bibliothèque de l'Université. En fait, j'ai découvert que j'étais aussi bien servi par la poste. Vous vous souvenez des papiers de mon oncle ? Eh bien, en les parcourant, j'ai découvert que l'oncle Amos avait payé plus de cent mille dollars un certain manuscrit — relié en peau humaine, soit dit en passant — tandis que son livre de comptes portait cette annotation énigmatique : « En sus à ma promesse. » Je me suis demandé quelle promesse il pouvait avoir faite, et à qui ? Si c'était à l'homme ou à la femme qui lui avait vendu ce *Texte de R'lyeh* ou à quelque autre personne ? Je me suis acharné à rechercher le nom de celui qui lui avait vendu ce volume et j'ai fini par le trouver, ainsi que son adresse. C'est un prêtre chinois du fin fond du Tibet. Je lui ai écrit, sa réponse m'est parvenue il y a huit jours.

Il se pencha sur sa table et fouilla l'amas de livres et de papiers. Au bout de quelques instants, il me tendit la lettre qu'il avait fini par dénicher.

— Je lui ai écrit au nom de mon oncle. J'ai prétendu ne pas avoir trop confiance dans la transaction, et feint d'avoir oublié ma promesse ou d'avoir l'espoir d'y échapper, poursuivit-il. Sa réponse est aussi énigmatique que l'annotation de mon oncle.

Ce mot était faible : le morceau de papier froissé qu'il m'avait tendu ne portait qu'une seule ligne écrite d'une main nerveuse, sans signature ni date : « Pour offrir un refuge à Celui Qui ne doit pas être Nommé. »

Quand je relevai les yeux vers Paul, mon étonnement devait se lire dans mon regard car il sourit avant de me répondre.

— Cela ne signifie rien pour vous, hein ? Pour moi non plus la première fois que je l'ai lu. Mais pas pour longtemps. Pour que vous compreniez ce qui va suivre, je vais être obligé de vous infliger un petit cours de mythologie — si c'est seulement de la mythologie — à laquelle ce mystère est lié. Mon oncle la connaissait et, manifestement, il y croyait, car les nombreuses annotations éparpillées dans les marges de ses livres interdits témoignent de ses connaissances nettement supérieures aux miennes. Apparemment cette mythologie découle d'une source commune avec notre légende de la Genèse, mais la ressemblance est très superficielle. Je suis parfois tenté de dire que cette mythologie est bien plus ancienne que n'importe quelle autre et que, dans les implications, elle va bien plus loin. Elle est cosmique et éternelle car ses personnages sont de deux essences et deux essences uniquement : les Vieux, ou Anciens, les Dieux Aînés issus du « Bien cosmique », et ceux qui sont issus du « Mal cosmique » qui portent différents noms, eux-mêmes appartenant à différents groupes, comme s'ils étaient associés aux éléments tout en les transcendant.

« Il existe les Etres de l'eau, réfugiés dans les grands fonds ; ceux de l'air, qui sont les espions primitifs cachés derrière le temps ; ceux de la terre, êtres animés, horribles survivants des temps les plus reculés. Il y a très longtemps, les Anciens bannirent les Mauvais de l'espace cosmique et les emprisonnèrent en différents lieux. Mais avec le temps, ceux-ci ont donné naissance à des suppôts de Satan qui ont entrepris de préparer leur retour à leur splendeur. Les Anciens n'ont pas de nom, mais leur pouvoir est et sera, apparemment, suffisant pour faire échec à celui des autres.

« Il semblerait qu'il y ait souvent opposition entre les Mauvais, comme chez la plupart des êtres inférieurs. Les Etres de l'eau s'opposent aux Etres de l'air, ceux du feu à ceux de la terre. Cependant, tous haïssent et craignent les Anciens. Ils rêvent de les abattre un jour ou l'autre. Dans les papiers de mon oncle, j'ai retrouvé plusieurs noms effrayants griffonnés de son écriture en pattes de mouche : le Grand Cthulhu, le Lac d'Hali, Tsathoggua, Yog-Sothoth, Nyarlathotep, Azathoth, Hastur l'Innominé, Yuggoth, Aldones, Thale, Aldébaran, les Hyades, Carcosa, et beaucoup d'autres. Il m'a été possible de classer des noms en catégories en me basant sur certaines annotations enfin compréhensibles pour moi, mais beaucoup de ces annotations restent des mystères impénétrables que je ne peux encore espérer déchiffrer. D'autres sont écrites dans une langue dont j'ignore tout, une suite de signes et de symboles déroutants, curieusement effrayants. Je suis en mesure d'affirmer que le Grand Cthulhu est un Etre de l'eau, de même qu'Hastur écume les espaces célestes. Et il est possible de deviner, d'après ces livres interdits, où se trouvent certains de ces Etres. Ainsi, je crois que dans cette mythologie le Grand Cthulhu fut envoyé au fond des océans. Hastur, lui, fut projeté dans l'espace, « là où se tiennent les étoiles noires » signalées par Aldébaran des Hyades, ce qui est l'endroit mentionné par Chambers, qui ne fait que répéter les *Carnosa* de Bierce.

« En ajoutant à ces découvertes la réponse de ce prêtre du Tibet, un fait me semble absolument certain, Haddon. Oui, sans aucun doute, « Celui Qui ne doit pas être Nommé » ne peut être qu'Hastur l'Innominé.

Je ne pus m'empêcher de tressaillir quand il cessa de parler. Son murmure avait quelque chose d'envoûtant, quelque chose qui me remplissait d'une conviction venue de bien plus loin que les paroles de Paul Tuttle. Quelque part, profondément ancrée dans les méandres de mon esprit, une corde avait vibré, un lien mnémonique que je ne pouvais ni écarter ni suivre, qui me laissait une sensation de temps illimité, conduisant vers un autre endroit en un autre temps.

— Cela semble logique, répondis-je enfin, prudemment.

— Logique, Haddon ? Oui, bien sûr, s'exclama-t-il. Il le faut !

— Admettons, dis-je, et ensuite ?

— Oui, admettons, poursuivit-il rapidement. Nous avons admis que mon oncle Amos avait promis de préparer un refuge pour le retour d'Hastur, quel que soit le lieu du cosmos où il se trouve actuellement emprisonné. L'endroit et la forme de ce refuge ne m'ont jusqu'ici pas préoccupé, bien que je croie pouvoir les deviner. Le moment n'est pas à la devinette, je sais, mais en nous basant sur les indices accumulés, nous pouvons nous permettre certaines déductions. La première et la plus importante : quelque chose d'imprévu a empêché le retour d'Hastur du vivant de mon oncle et cependant un autre Etre s'est manifesté.

A cet instant, il me regarda franchement, non sans une certaine nervosité.

— Je ne tiens pas pour le moment à dévoiler la preuve de cette manifestation. Il vous suffit de croire que j'en ai la preuve en main. Je poursuis donc ma première idée.

« Parmi les quelques annotations marginales faites par mon oncle, il y en a deux ou trois particulièrement intéressantes dans le *Texte de R'lyeh*. En effet, à la lumière de mes connaissances ou de mes déductions, il y a des notes sinistres et de mauvais augure.

Sur ces mots, il prit le manuscrit ancien et l'ouvrit à une des premières pages.

— Et maintenant suivez-moi bien, Haddon, poursuivit-il.

Je me levai et m'approchai pour découvrir l'écriture presque illisible d'Amos Tuttle.

— Observez la ligne soulignée : « Ph'nglui mglw'nafh Cthulhu R'lyeh wgah, nagl fhtagn » et ce qui suit, de l'inimitable écriture de mon oncle : « Ses sujets préparent le chemin et il ne rêve plus » (WT : 2/28). Puis, ajoutée plus récemment, à en juger au tremblement de l'écriture, cette simple abréviation : « Inns. ». Evidemment, cela ne signifie rien sans une traduction du texte. En étant incapable quand j'ai lu ceci pour la première fois, je me suis concentré sur l'abréviation entre parenthèses. J'ai assez rapidement compris qu'elle représentait une référence à un numéro d'un magazine connu, *Weird Tales,* paru en février 1928. Je l'ai ici.

Il ouvrit le magazine en le posant sur le texte incompréhensible, masquant partiellement les lignes qui avaient fait naître une étrange atmosphère fantastique et là, sous sa main, s'étalait la première page d'une histoire appartenant si manifestement à cette incroyable mythologie que je ne pus réprimer un geste d'étonnement. Le titre, que sa main ne couvrait pas en entier, en était *l'Appel de Cthulhu*, par H. P. Lovecraft. Mais Tuttle ne s'attarda pas à la première page ; il plongea au cœur de l'histoire et présenta à mes yeux une ligne impossible à lire, identique à celle qu'accompagnaient les gribouillis d'Amos Tuttle dans l'exemplaire incroyablement rare du *Texte de R'lyeh* sur lequel reposait le magazine. Et, un paragraphe plus loin, apparaissait ce qui pouvait être considéré comme une traduction de ce langage inconnu : « Dans cette demeure, à R'lyeh, le défunt Cthulhu attend en rêvant. »

— Tenez, voilà ! reprit Tuttle avec une certaine satisfaction. Cthulhu, lui aussi, attendait le jour de sa résurrection. Depuis combien de milliards d'années, nul ne le sait. Mon oncle s'est donc demandé si Cthulhu attendait en rêvant, ce qui l'a conduit à écrire et souligner deux fois une abréviation qui ne peut que signifier« Innsmouth ». Ceci, ajouté aux horreurs à demi suggérées par cette histoire censée n'être que fiction, révèle une perspective d'horreurs inimaginables, de monstruosités d'un autre âge.

— Bonté divine ! m'exclamai-je involontairement. Vous ne croyez tout de même pas que cette histoire fantastique puisse être réelle ?

Tuttle se tourna vers moi et me lança un regard étrangement lointain :

— Ce que je crois n'a aucune importance, Haddon, répondit-il gravement. Mais il y a quelque chose que j'aimerais savoir. Que s'est-il passé à Innsmouth ? Que s'est-il passé ces dernières années qui a fait fuir les habitants ? Pourquoi ce port, autrefois prospère, s'est-il transformé en une ville morte, aux maisons vides et aux propriétés pratiquement sans valeur ? Et pourquoi le gouvernement a-t-il jugé nécessaire de faire sauter, bloc après bloc, tous les immeubles et les entrepôts des quais ? Enfin, pour quelle raison rationnelle a-t-on envoyé un sous-marin torpiller les fonds marins qui se trouvent par-delà le Récif du Diable, au large d'Innsmouth ?

— Ça, j'avoue l'ignorer, concédai-je.

Mais il ne me prêta pas attention. Sa voix devint plus forte, mais hésitante et tremblante :

— J'en suis certain, Haddon. Mon oncle Amos l'a écrit. Le Grand Cthulhu s'est réveillé.

Pendant un moment, je restai abasourdi.

— Mais c'est Hastur qu'il attendait !

— C'est exact, reconnut-il. Alors j'aimerais savoir qui se déplace dans les profondeurs terrestres quand Fomalhaut s'est levé et que les Hyades sont à l'est.

3

Sur quoi, il changea brusquement de sujet. Il me posa quantité de questions sur mon travail et sur moi-même et, quand je me levai pour prendre congé, il me pria de passer la nuit chez lui. J'acceptai finalement, non sans quelque réticence, et il sortit immédiatement préparer ma chambre. Je profitai de l'occasion pour examiner plus attentivement la pièce, à la recherche du *Necronomicon* disparu à la bibliothèque de l'Université. L'ouvrage n'était pas sur son bureau, mais je le trouvai en fouillant les étagères. Je venais juste de le prendre en main afin de vérifier s'il s'agissait bien de l'original quand Tuttle réapparut dans la pièce. Il jeta un rapide coup d'œil au livre que je tenais et esquissa un léger sourire.

— Je vous demanderai de le rapporter au docteur Llanfer quand vous repartirez demain, Haddon, me lança-t-il avec désinvolture. Je l'ai recopié. Je n'en ai plus besoin.

— Bien volontiers, répondis-je, soulagé de voir cette affaire se régler d'aussi heureuse façon.

Peu de temps après, je me retirai dans une chambre du deuxième étage qu'il avait préparée à la hâte. Il m'accompagna jusqu'à la porte, s'y arrêta un bref instant. Il semblait être désireux de me dire quelque chose, mais il ne parvenait pas à se décider. Finalement, après quelques hésitations, il me souhaita une bonne nuit avant de prononcer les paroles qui lui brûlaient les lèvres.

— Pendant que j'y pense, si vous entendez quelque chose cette nuit, Haddon, ne vous inquiétez pas. Quoi que cela puisse être, c'est inoffensif... pour le moment.

Ce n'est qu'après son départ et une fois seul dans ma chambre que le sens de ses paroles et son attitude en les prononçant me frappèrent. Pour moi, c'était une confirmation des rumeurs qui circulaient dans Arkham. Paul Tuttle m'en avait parlé avec réticence, non sans laisser percer une certaine crainte. Je me déshabillai lentement. Tout en réfléchissant, je passai le pyjama que mon hôte avait mis à ma disposition, sans cesser une seconde de songer avec inquiétude à cette sinistre mythologie révélée par les vieux ouvrages d'Amos Tuttle. Je n'avais pas pour habitude de juger à la légère et il n'était pas question de commencer aujourd'hui. Malgré l'apparente absurdité de son fondement, elle avait été trop bien construite pour ne mériter qu'un simple examen de complaisance. De plus, il était évident que Tuttle était plus qu'à moitié convaincu de son authenticité. Cette circonstance à elle seule suffisait amplement à me donner à réfléchir car Paul Tuttle s'était en effet distingué à plusieurs reprises par le caractère approfondi de ses recherches. Il avait publié différents articles qui n'avaient jamais été contestés, même dans leurs plus petits détails. En m'appuyant sur ces considérations, j'étais donc enclin à admettre qu'il y avait une part de vérité dans la structure de la mythologie dressée par Paul. Mais quant à déceler le vrai du faux, j'en étais à ce moment-là incapable. Je me gardai donc de porter un jugement définitif fondé uniquement sur une impression, car lorsqu'un homme s'est forgé une opinion, favorable ou défavorable, sur une chose donnée, il lui est deux fois ou trois fois plus difficile de réviser cette opinion, même si des preuves ultérieures l'infirment totalement.

Tout en réfléchissant, je me mis au lit et attendis le sommeil. La nuit était noire et profonde. A travers les rideaux de la fenêtre je pouvais distinguer les étoiles. Andromède brillait à l'est et les constellations de l'automne s'élevaient dans le ciel.

J'étais sur le point de m'endormir quand un bruit troubla mon repos, un bruit que j'entendais depuis quelques secondes, mais qui se révéla soudain à moi avec toute sa signification. C'était le bruit des pas d'une créature gigantesque qui faisait vibrer toute la maison, bien qu'il ne me parût pas venir de l'intérieur de la demeure, mais de l'est. Pendant un instant je pensai aux pas de quelque chose qui serait sorti de la mer et aurait marché sur le sable mouillé.

Mais cette impression disparut quand je me redressai sur un coude pour écouter plus attentivement. Pendant un moment, le bruit cessa, puis revint, irrégulier ; un pas, un temps d'arrêt, deux pas se succédant rapidement, un étrange sifflement de succion. Troublé, je me levai et je m'approchai de la fenêtre ouverte. La nuit était chaude, l'air encore un peu étouffant. Au loin, au nord-est, un phare dessinait un trait de feu dans le ciel. Du nord, me parvenait le vrombissement assourdi d'un moteur d'avion. Il était juste minuit passé. Plus bas, vers l'est, brillaient la rouge Aldébaran et les Pléiades. Mais je ne fis pas à ce moment la relation entre le bruit que j'entendais et la position des Hyades au-dessus de l'horizon.

Les sons étranges, entre-temps, n'avaient pas cessé, et l'idée s'imposa à moi qu'ils approchaient effectivement de la maison, quelle que fût la lenteur de leur progression. Et ils venaient manifestement de la mer, je ne pouvais pas en douter car, à cet endroit, il n'y avait aucun accident du terrain qui pût influer sur la trajectoire d'une onde sonore. Je me rappelai les bruits similaires que nous avions entendus la nuit pendant laquelle le corps d'Amos Tuttle avait reposé dans la maison, mais j'étais incapable de dire si les Hyades qui brillaient maintenant bas vers l'est ne s'élevaient pas alors vers l'ouest. J'étais également incapable de préciser si les deux phénomènes étaient identiques. Pourtant les perturbations actuelles semblaient plus proches, d'une proximité non pas « physique » mais plutôt « psychique ». Ma conviction était si forte que je me sentais gagné par une impression de malaise dont la peur n'était pas exclue. Je commençais à redouter ma solitude et à souhaiter une compagnie. J'allai rapidement à ma porte, l'ouvris, et sortis dans le couloir à la recherche de mon hôte.

Je fis immédiatement une nouvelle constatation. Tant que je m'étais trouvé dans ma chambre, les bruits m'avaient paru manifestement venus de l'est, malgré le léger, le faible tremblement qui faisait frémir la maison. Mais ici, au cœur de l'obscurité de ce couloir, dans lequel je n'avais pas apporté de lumière, je découvris que leur source était située en dessous, non pas dans un endroit quelconque de la demeure, mais plus bas, et qu'ils montaient des entrailles de la terre. Ma nervosité augmenta. Je restais immobile et mal à l'aise, ne sachant comment me diriger dans le noir, quand je remarquai une faible lueur qui venait de la direction de l'escalier. Je m'approchai sans bruit et, en me penchant par-dessus la rampe, j'aperçus Paul Tuttle, une torche électrique à la main. Il se trouvait au rez-de-chaussée, vêtu d'une robe de chambre, mais je pouvais remarquer, même de l'endroit où je me trouvais, qu'il n'avait pas ôté ses vêtements. La lueur qui dévoilait son visage révélait une intense concentration. Il tenait la tête légèrement penchée d'un côté pour mieux écouter et il ne fit pas le moindre geste pendant tout le temps que je l'observai.

— Paul ! lui lançai-je à voix basse.

Il leva rapidement les yeux et éclaira mon visage avec sa torche.

— Vous entendez? me dit-il.

— Oui! Qu'est-ce que c'est, Grand Dieu?

— Je l'ai déjà entendu auparavant, répondit-il. Venez!

Je descendis le rejoindre et je restai un moment exposé à son regard pénétrant et interrogatif, dans le faisceau de sa torche.

— Vous n'avez pas peur, Haddon?

Je secouai négativement la tête.

— Alors, suivez-moi.

Il se retourna et me guida jusqu'à l'arrière de la maison où nous descendîmes dans la cave. Durant le trajet, les bruits s'étaient amplifiés, comme s'ils s'étaient de plus en plus rapprochés, comme s'ils se trouvaient maintenant directement sous nos pieds, faisant trembler, non seulement les murs et le plancher de la vieille demeure mais aussi le sol tout autour qui paraissait frissonner et tressauter à chaque secousse. Comme si une importante perturbation souterraine avait choisi cet endroit de la surface de la terre pour se manifester. Mais Tuttle n'y prêtait pas attention, sans doute parce qu'il avait déjà eu souvent l'occasion de l'entendre. Il traversa une première, puis une deuxième cave et s'arrêta dans une troisième, un peu plus basse que les autres, et apparemment plus récente, mais comme les deux premières, avec des murs faits de pierres de calcaire scellées par du ciment.

Il se tint au milieu de la cave et écouta attentivement. Les bruits avaient atteint une telle intensité que la maison semblait se trouver au cœur même d'un bouleversement volcanique, bien que rien ne permît de penser qu'elle allait s'effondrer. Mais les vibrations, les secousses, les grincements et les plaintes des chevrons dans les combles étaient la preuve de l'invraisemblable pression exercée sous la surface terrestre. Même le sol dallé de la cave paraissait vivant sous mes pieds nus. Bientôt les bruits semblèrent reculer, mais en réalité ils ne s'affaiblirent pas, ils nous en donnèrent seulement l'illusion en raison de l'accoutumance de nos oreilles qui les oublièrent quelque peu pour devenir réceptives à un phénomène nouveau, d'autres bruits qui provenaient eux aussi des entrailles terrestres, portant en eux une méchanceté diabolique qui nous subjugua.

Tout d'abord, ils ne furent pas assez clairs pour nous permettre de déceler leur origine. C'est seulement après les avoir écoutés pendant un certain temps que je compris que ces sifflements ou ces piaillements étaient provoqués par une créature vivante, par un être pensant, même si, pour l'instant, ses manifestations se résumaient à des borborygmes bizarres, indistincts et inintelligibles même quand ils devinrent plus clairement audibles.

Entre-temps, Tuttle avait posé sa torche électrique. Il s'était agenouillé et il se tenait, maintenant, à moitié allongé par terre, l'oreille collée au sol.

Sur son invitation, j'en fis autant et je découvris que les sons souterrains s'apparentaient à des syllabes identifiables bien qu'incompréhensibles. Tout d'abord, je n'entendis que des ululements incohérents et, à première vue, sans la moindre liaison, que j'interprétai comme des lamentations que je pus transcrire plus tard sous la forme suivante : « Iä ! Iä ! Shub-Niggurath... Ugh ! Cthulhu Fhtagn... Iä ! Iä ! Cthulhu ! » Mais j'allais apprendre bientôt que je me trompais sur le sens de l'un au moins de ces sons. « Cthulhu », lui, était parfaitement audible en dépit du bruit assourdissant qui l'environnait. Mais le mot qui suivait me semblait quelque peu plus long que « Fhtagn ». On aurait dit qu'une autre syllabe avait été ajoutée, et, cependant, je n'aurais pu jurer qu'elle n'eût pas toujours existé, car maintenant elle était parfaitement claire. Paul Tuttle sortit de sa poche un carnet et un crayon et écrivit :

— Ils disent « Cthulhu naflfhtagn ».

A en juger par l'acuité de son regard qui révélait son excitation, cette expression avait un sens pour lui, mais pour moi, elle était incompréhensible, si ce n'est que je croyais déceler une certaine similitude avec une partie de la phrase soulignée dans le *Texte de R'lyeh* et reproduite dans le magazine, avec sa traduction approximative : « Cthulhu attend en rêvant. » Mon visage devait refléter mon incompréhension car mon hôte se rappela que ses connaissances philologiques étaient largement supérieures aux miennes. Il esquissa un sourire et murmura :

— Ce ne peut être qu'une construction négative.

Malgré cette réflexion, je ne compris pas tout de suite ce qu'il tentait de m'expliquer, c'est-à-dire que les voix souterraines ne prononçaient pas ce que je pensais, mais : « Cthulhu n'attend plus en rêvant. » Il n'était plus question de douter car ces phénomènes n'avaient aucune origine humaine. On ne pouvait concevoir une autre solution que celle qui était proposée par l'invraisemblable mythologie dont Paul m'avait exposé les grandes lignes. Et, maintenant, comme si cette manifestation sonore ne suffisait pas, il se dégageait une puanteur fétide mêlée à une forte et nauséabonde odeur de poisson qui suintait à travers la paroi poreuse des murs.

Paul Tuttle s'en rendit compte en même temps que moi et mon angoisse grandit en apercevant son visage refléter une inquiétude dont je ne l'avais jamais vu faire preuve. Il resta un moment immobile, puis se leva brusquement, ramassa sa torche électrique, et quitta la cave en me priant de le suivre.

C'est seulement quand nous fûmes arrivés au rez-de-chaussée qu'il reprit la parole.

— Ils sont plus près que je ne le croyais, dit-il pensivement.

— C'est Hastur ? demandai-je avec nervosité.

Mais il secoua négativement la tête.

— Non, ce n'est pas possible. Ce passage souterrain ne conduit qu'à la mer et il est sans doute en grande partie empli d'eau. Par conséquent, cela ne peut être qu'un Etre de l'eau, un de ceux qui s'étaient réfugiés ici quand les torpilles ont détruit le Récif du Diable au large d'Innsmouth la maudite, c'est-à-dire Cthulhu ou un de ceux qui le servent, comme les Mi-Go le servent dans les étendues glacées, et le peuple Tcho-Tcho sur les hauts plateaux d'Asie.

Comme il nous était impossible de nous endormir, Paul Tuttle m'invita à m'asseoir dans la bibliothèque. Il me parla, pendant des heures, de sa voix un peu chantonnante. Il me raconta tout ce qu'il avait découvert en parcourant les vieux ouvrages qui avaient appartenu à son oncle. Jusqu'à l'aube il m'entretint du terrifiant Plateau de Leng, de la Chèvre noire des Bois et des Mille Jeunes, d'Azathoth et de Nyarlathotep, du Grand Messager qui traverse les espaces célestes sous l'apparence d'un être humain, de l'horrible et diabolique Signe Jaune, des légendaires tours hantées de la mystérieuse Carcosa, du terrible Lloigor et du détestable Zhar, d'Ithaqua la Chose-Neige, de Chaugnar Faugn et N'Gha-Kthun, de l'inconnu Kadath et de Fungi de Yuggoth. Il monologua longtemps alors que le vacarme continuait sous la maison tandis que je restais assis à l'écouter en proie à une peur incontrôlable. Et pourtant cette frayeur se révéla injustifiée. Avec l'apparition de l'aurore, les étoiles pâlirent et le tumulte s'apaisa rapidement, s'éloignant vers l'est avant de s'éteindre dans l'océan. Soulagé, je regagnai ma chambre et je m'habillai en hâte pour fuir cette maison.

4

UN mois plus tard, je me retrouvai sur le chemin de la propriété des Tuttle, répondant ainsi à une carte envoyée par Paul sur laquelle il avait inscrit ce simple mot : « Venez. » Même si Paul ne m'avait pas écrit, je me serais senti obligé de retourner à la vieille demeure d'Aylesbury Road, en dépit de mon aversion pour les recherches troublantes de Paul et de cette peur maintenant permanente qui m'étreignait et que je ne pouvais chasser de mon esprit. Après mûre réflexion, je m'étais décidé à tenter de convaincre Paul de renoncer à poursuivre plus avant ses recherches... jusqu'au jour où je reçus sa carte. Ce matin-là, en effet, en parcourant le *Transcript*, je tombai sur un petit article sur Arkham. Je n'y aurais sans doute pas prêté attention si son titre ne m'avais pas tiré l'œil : « Vandalisme au cimetière d'Arkham. » Et, juste en dessous : « Le caveau des Tuttle violé. » L'article qui suivait était bref et ne faisait que développer l'information résumée dans le titre.

« Tôt dans la matinée, des vandales ont forcé et partiellement détruit le caveau des Tuttle au cimetière d'Arkham. Un mur a été presque entièrement démoli et des cercueils ont été fracturés. Il semblerait que celui d'Amos Tuttle ait disparu, mais la confirmation de cette nouvelle ne nous est pas encore parvenue à l'heure où nous mettons sous presse. »

La lecture de ce vague article à peine terminée, je fus saisi d'une forte appréhension dont je n'aurais su dire sur quoi elle se fondait, mais je pressentis immédiatement que l'acte de vandalisme perpétré contre le caveau des Tuttle n'était pas un méfait ordinaire. Je ne pus m'empêcher de faire un rapprochement avec les événements mystérieux qui se déroulaient dans la vieille demeure. Je pris donc la décision de me rendre à Arkham, puis chez Paul, avant même l'arrivée de sa carte. Son bref message m'alarma plus encore, si c'était possible, et confirma ce que je craignais. Il existait bien un rapport sinistre entre l'acte de vandalisme commis au cimetière et les phénomènes étranges que nous avions entendus sous la maison d'Aylesbury Road. En même temps, j'éprouvais une profonde réticence à quitter Boston, obsédé par une peur incoercible qui m'étreignait à l'idée d'un danger invisible dont je ne connaissais pas l'origine. Toutefois, le devoir me poussait à partir et, malgré mon angoisse, je m'exécutai.

J'arrivai à Arkham en début d'après-midi et me rendis immédiatement au cimetière pour constater, en tant qu'avoué, l'étendue des dégâts. La police avait établi un barrage, mais je fus autorisé à examiner les lieux après avoir dévoilé mon identité. Le compte rendu du journal ne révélait qu'une partie de la vérité. Le caveau des Tuttle était en effet complètement détruit et les cercueils étaient exposés au soleil. Certains d'entre eux étaient défoncés et laissaient apparaître les os des squelettes.

Le cercueil d'Amos Tuttle avait effectivement disparu au cours de la nuit, mais il avait été retrouvé à midi, en plein champ, à deux miles d'Arkham, très loin de la route, tellement loin qu'il semblait impossible qu'on l'eût porté sur une aussi longue distance. Le mystère de sa présence à cet endroit s'était encore approfondi depuis sa découverte car l'enquête avait permis de découvrir de profondes empreintes dans la terre, séparées par de larges intervalles et dont certaines atteignaient un diamètre impressionnant... On aurait dit qu'une créature monstrueuse avait rôdé dans les environs, mais je dois avouer que moi seul eus cette idée. Les empreintes dans la terre restaient un mystère auquel aucun éclaircissement ne put être apporté, malgré les suppositions les plus folles quant à leur origine. Cette carence était peut-être due au nouveau problème posé par la découverte du cercueil ; le cadavre d'Amos Tuttle avait disparu et les recherches effectuées aux alentours s'étaient révélées vaines. Ce fut tout ce que j'appris des policiers qui surveillaient le cimetière, avant de me diriger vers Aylesbury Road, refusant de réfléchir à cette incroyable affaire avant de m'en être entretenu avec Paul Tuttle.

Cette fois-ci, mon coup de sonnette ne reçut pas de réponse immédiate et je commençais à m'inquiéter et à craindre qu'il ne fût arrivé un accident au maître de maison quand je perçus un faible bruit juste derrière la porte. Presque aussitôt, j'entendis la voix étouffée de Paul.

— Qui est là ?

— C'est moi, Haddon ! répondis-je, tandis qu'il me semblait entendre un profond soupir de soulagement.

La porte s'ouvrit et je n'étais même pas encore entré que je remarquai l'obscurité qui régnait dans le hall. La fenêtre du fond était soigneusement calfeutrée, et aucune lumière ne parvenait des autres pièces dont les portes étaient fermées. J'étais impatient de poser la question qui me brûlait les lèvres et me tournai vers Paul. Il me fallut un petit moment pour m'accoutumer à cette obscurité inhabituelle et pour distinguer mon hôte. Je ressentis un choc à la vue du personnage qui se tenait devant moi. Tuttle avait beaucoup changé. Lui qui était grand, et qui auparavant se tenait toujours très droit, paraissait maintenant voûté comme un homme usé, à l'apparence maladive, accusant un âge qu'il n'avait pas encore. Ses premiers mots m'alarmèrent singulièrement.

— Vite, Haddon, dit-il. Nous n'avons pas beaucoup de temps.

— Qu'est-ce qu'il y a? Que se passe-t-il, Paul? demandai-je.

Il ne prêta pas attention à ma question. Il me conduisit directement à la bibliothèque faiblement éclairée par une seule ampoule électrique.

— J'ai préparé un paquet des livres de mon oncle qui ont le plus de valeur : le *Texte de R'lyeh, le Livre d'Eibon, les Manuscrits Pnakotiques,* et quelques autres. Vous les porterez à la bibliothèque de l'Université miskatonique aujourd'hui même sans faute, et de vos propres mains ! Ils peuvent, désormais, être considérés comme propriété de l'Université. Et voici une enveloppe renfermant certaines instructions pour vous, au cas où je ne pourrais pas vous joindre avant dix heures ce soir, de vive voix ou par le téléphone que j'ai fait installer depuis votre dernière visite. Vous êtes descendu au Lewiston House, je suppose. Et, maintenant, écoutez-moi bien. Si je n'ai pas pu vous joindre par téléphone ou par n'importe quel autre moyen avant dix heures ce soir, vous devrez suivre, sans la moindre hésitation, les consignes contenues dans cette enveloppe. Je vous adjure de les appliquer le plus vite possible et comme vous pourriez avoir quelques réticences à agir rapidement, j'ai téléphoné au juge Wilton pour lui expliquer que je vous avais donné des instructions étranges, mais vitales, que vous deviez exécuter à la lettre.

— Que s'est-il passé, Paul? demandai-je.

Pendant un moment, il fut sur le point de me parler à cœur ouvert, mais il se reprit, secoua la tête et poursuivit.

— Pour l'instant, je ne sais pas du tout. Mais je peux, tout de même, vous révéler quelque chose. Nous avons, mon oncle et moi, commis une énorme erreur... Tous les deux... Et je crains qu'il ne soit trop tard pour la corriger. Vous êtes au courant de la disparition du cadavre de l'oncle Amos ?

J'acquiesçai.

— Il a été retrouvé.

Je fus étonné car j'arrivais en droite ligne d'Arkham et aucune information en ce sens n'avait été communiquée.

— Impossible ! m'exclamai-je. Les recherches se poursuivent encore.

— Ah ! Peu importe ! lança-t-il curieusement. Il n'est plus là-bas. Il est ici, au fond du jardin. Il y a été abandonné quand il est devenu inutile.

A cette seconde, il leva brusquement la tête, alors que nous entendions des grattements et des grincements qui provenaient des profondeurs du sol. Mais, au bout d'un moment, ils cessèrent et Paul se retourna vers moi.

— Le refuge, murmura-t-il en émettant un petit rire mal à l'aise. Le tunnel a été construit par mon oncle Amos, j'en suis certain. Mais ce n'est pas ce refuge que désire Hastur, bien qu'il serve déjà aux sujets de son demi-frère, le grand Cthulhu.

Il était presque impossible de savoir si le soleil brillait encore à l'extérieur car l'obscurité qui régnait dans la bibliothèque, et l'atmosphère d'angoisse qui imprégnait la pièce se combinaient pour créer une sensation d'irréalité... à mille lieues du monde que je venais de quitter, ce monde qui restait normal et rassurant, malgré le cauchemar du caveau violé. Paul Tuttle était en proie à une attente fébrile combinée à une nervosité qui faisait trembler ses doigts. Ses yeux qui brillaient d'une lueur étrange paraissaient plus proéminents qu'auparavant tandis que ses lèvres s'étaient étirées et

41

amincies et que sa barbe avait atteint une longueur qu
je n'aurais jamais crue possible. Il tendit encor
l'oreille quelques instants avant de se retourner vers moi

— Je suis obligé de rester ici pour le moment. Je n'a
pas entièrement miné la maison et je dois le faire
reprit-il bizarrement.

Et il poursuivit sans me laisser le temps de lui pose
les questions qui me tenaient tant à cœur :

— J'ai découvert que cette demeure repose sur une
curieuse fondation naturelle. Sous la cave existe no
seulement le tunnel, mais une grande quantité d
cavernes de toutes sortes et de toutes dimensions. J
pense que ces cavernes sont en grande partie pleine
d'eau et sans doute inhabitées, ajouta-t-il après u
temps de sombre réflexion. Mais ce détail, bie
entendu, n'a pour l'instant qu'une importance secon
daire. Je n'ai aucune peur de ce qui se trouve e
dessous, mais plutôt de ce qui arrivera si je n'agis pa
rapidement.

A nouveau, il marqua un temps d'arrêt pour tendr
l'oreille et à nouveau aussi, des bruits vagues et étouffé
nous parvinrent. J'écoutai attentivement et j'entendi
une espèce de tâtonnement, comme si une créatur
mystérieuse se trouvait devant une porte et s'efforçai
d'en découvrir ou d'en comprendre l'usage. Je crus tou
d'abord que le bruit provenait d'un endroit situé
l'intérieur de la maison et je pensai instinctivement a
grenier. Il semblait, en effet, s'être produit au-dessu
de ma tête. Mais presque aussitôt je devinai que le so
ne pouvait venir d'aucune pièce de la maison, non plu
que d'un point précis à l'extérieur quelle que fût s
position. Il venait de plus loin, de l'espace indéfini qu
s'étendait au-delà des murs de la maison. Un brui
vague, obsédant, impossible à rapprocher de quelqu
chose de précis... un bruit qui paraissait le signe à un
évasion terrestre. Je jetai un coup d'œil à Paul don
l'attitude confirma mon impression. Il écoutait manifes

tement un son qui venait de l'extérieur. Il tenait la tête légèrement relevée tandis que son regard, perdu dans le vague, traversait les murs et que son visage reflétait une curieuse impression d'extase, dont la peur n'était pas exclue ni, malheureusement, une étrange résignation.

— C'est une manifestation d'Hastur, chuchota-t-il. Quand les Hyades seront levées et que Aldébaran brillera dans le ciel, ce soir, il viendra. L'autre sera là aussi, avec son peuple de l'eau, de la race primitive pourvue de branchies.

Tout à coup, il se mit à rire, d'un rire brusque, silencieux. Une lueur de folie dans le regard, il poursuivit.

— Cthulhu et Hastur s'affronteront ici pour la possession du refuge, tandis que le Grand Orion traversera l'horizon, avec Bételgeuse où sont les Dieux Anciens qui, seuls, peuvent faire obstacle aux projets diaboliques de ces créatures infernales.

Mon étonnement à ces mots dut se lire sur mon visage et aussi faire comprendre à Paul dans quelle angoisse son attitude me plongeait car son expression changea brusquement. Son regard s'adoucit. Ses mains s'ouvrirent et se fermèrent nerveusement et sa voix redevint plus naturelle.

— Toute cette histoire vous fatigue peut-être, Haddon, reprit-il. Je ne vous en dirai pas plus car le temps me manque, le soir approche et par conséquent la nuit ne va plus tarder. Je vous supplie de ne pas vous interroger sur le bien-fondé des instructions que je vous ai remises dans cette petite note. Je vous adjure de les exécuter à la lettre. S'il arrive ce que je crains, même ceci pourrait se révéler inutile... Dans le cas contraire, je vous préviendrai à temps.

Sur ces mots, il prit la pile de livres, la plaça sur mes bras et me reconduisit à la porte. Je le suivis, je l'avoue, sans protester, j'étais déconcerté et quelque peu désarmé par son étrange attitude et l'inquiétante ambiance d'horreur poignante qui imprégnait la vieille maison menacée.

Sur le seuil, il s'arrêta un instant et me serra gentiment le bras.

— Au revoir, Haddon, dit-il avec une chaleur qui me toucha.

Je me retrouvai dehors, dans l'éclat du soleil couchant, si brillant que je dus fermer les yeux. Le temps de me réaccoutumer à cette luminosité contrastant avec l'obscurité qui régnait dans la maison, pendant que le joyeux gazouillis d'un rouge-gorge résonnait joliment à mes oreilles, comme pour effacer l'atmosphère de frayeur que je laissais derrière moi.

5

J'ATTEINS maintenant la partie de mon récit que je livre à contrecœur, non seulement en raison de l'invraisemblance des lignes qui vont suivre, mais aussi, parce qu'elles ne peuvent donner qu'une vague et approximative idée des événements. Elles sont pleines de suppositions autant que de témoignages horrifiants et diaboliques, sur l'existence d'êtres primitifs tapis aux frontières de la vie humaine, ou, plus inquiétant encore, sur celle de certains d'entre eux en particulier qui survivent et se cachent dans des séjours secrets enfouis au cœur de cavernes. Je ne saurais dire ce que Tuttle avait appris dans les textes diaboliques qu'il m'avait chargé de confier à la bibliothèque de l'Université. Il était évident qu'il avait deviné certaines vérités dont il avait compris le sens trop tard. Quant au reste, il avait patiemment assemblé ses découvertes, bien qu'il soit permis de se demander s'il avait entrevu l'ampleur de la tâche qu'il avait entreprise inconsciemment en décidant de savoir pourquoi son oncle avait imposé par testament de faire démolir sa demeure et détruire ses livres. Peu après mon retour par les vieilles rues d'Arkham, les événements se succédèrent avec une extraordinaire rapidité. Je passai tout d'abord à la bibliothèque et remis au docteur Llanfer la pile de livres que j'avais apportée, puis je me rendis immédiatement à la propriété du juge Wilton où j'eus assez de chance pour le trouver. Il venait juste de passer à table et me pria de me joindre à lui, ce que j'acceptai, bien que je n'eusse guère d'appétit et que l'idée même de manger me fût difficilement supportable. En chemin, les doutes et les craintes qui me troublaient ne m'avaient laissé aucun répit. Wilton remarqua immédiatement que je me trouvais dans un état de fébrilité anormale.

— Bizarre cette histoire du caveau des Tuttle, n'est-ce pas ? lança-t-il habilement, se doutant de la raison de ma présence à Arkham.

— Oui, mais tout de même moins étrange que la découverte du cadavre d'Amos Tuttle au fond de son jardin, répondis-je avec animation.

— C'est exact, dit-il sans montrer d'intérêt particulier.

Son calme m'incita à plus de mesure et me permit de retrouver un peu de sang-froid.

— Je suppose que vous en venez et que vous savez de quoi vous parlez.

J'acquiesçai et lui racontai aussi clairement et brièvement que possible l'histoire qui m'avait conduit chez lui, n'omettant que quelques détails d'importance négligeable, mais je ne parvins pas à dissiper ses doutes, bien qu'il fût trop bien élevé pour me le faire sentir. Après la fin de mon récit, il resta assis en silence, jetant de temps en temps un coup d'œil à l'horloge qui marquait déjà plus de sept heures. Il interrompit sa rêverie pour me suggérer de téléphoner à l'Hôtel Lewiston afin de faire transférer chez lui tout appel qui me serait destiné. Je suivis immédiatement son conseil, quelque peu soulagé de le voir envisager le problème avec suffisamment de sérieux pour y consacrer sa soirée.

— Je pense à cette fantastique mythologie, reprit-il dès mon retour dans la pièce. Elle peut être considérée comme l'œuvre d'un esprit malade, l'Arabe Abdul Alhazred. Je précise prudemment elle « peut », mais à la suite de ce qui est arrivé à Innsmouth, je préfère ne pas trop m'avancer. Cependant, nous ne sommes pas actuellement devant un tribunal. Le problème immédiat concerne Paul Tuttle lui-même. Je vous propose d'examiner les instructions qu'il vous demande de suivre.

Je sortis aussitôt l'enveloppe et l'ouvris. Elle ne contenait qu'une simple feuille de papier, portant ces sinistres et mystérieuses lignes :

« J'ai miné toute la maison. Rendez-vous immédiatement à la porte ouest du jardin. J'ai caché le détonateur dans le bosquet situé à droite de l'allée quand vous arrivez d'Arkham. Mon oncle Amos avait raison. Il aurait fallu respecter son testament quand il était encore temps. Si vous n'obéissez pas, Haddon, je vous jure devant Dieu que vous livrerez le pays au plus effroyable fléau qu'aucun homme n'ait jamais connu et ne connaîtra plus jamais... si tant est qu'il y ait des survivants. »

Mon esprit avait dû à cet instant entrevoir une infime partie du cataclysme qui menaçait car, lorsque le juge Wilton se redressa pour me demander, en me fixant avec un intérêt mêlé d'un certain doute : « Qu'allez-vous faire ? » je répondis sans la moindre hésitation : « Exécuter ses instructions à la lettre. »

Il m'observa quelques instants sans ajouter de commentaire. Puis il capitula devant ma résolution et s'installa plus confortablement.

— Nous allons attendre dix heures dans ce cas, dit-il gravement.

L'acte final de l'incroyable horreur qui se déroula dans la propriété des Tuttle commença juste avant dix heures. Il se présenta tout d'abord de façon si anodine et prosaïque que lorsque la terrible vérité se révéla à nous, nous en ressentîmes le choc avec deux fois plus de violence.

En effet, il était dix heures moins cinq quand le téléphone sonna. Le juge Wilton décrocha aussitôt et du fauteuil que j'occupais je pus entendre la voix horrifiée de Paul hurlant mon nom.

Je pris l'appareil des mains du juge.

— Allô, ici, Haddon, dis-je avec une assurance que j'étais loin de posséder. Qu'est-ce qu'il y a, Paul ?

— Agissez tout de suite, cria-t-il. Oh, mon Dieu, Haddon... sur-le-champ... avant... qu'il ne soit trop tard. Oh, mon Dieu... Le refuge ! Le refuge... vous connaissez l'endroit... porte ouest... Oh, mon Dieu... faites vite !

C'est alors que se produisit un phénomène que je ne pourrai jamais oublier : une soudaine et terrible dégénérescence de la voix de Paul, comme si elle s'était amenuisée et altérée jusqu'à devenir une espèce de vocifération abyssale. Les sons qui me parvenaient par ce téléphone se rapprochaient de plus en plus des cris d'un animal, une espèce de langage primitif, inhumain, informe, à peine articulé, au milieu duquel je pouvais cependant saisir quelques mots qui revenaient sans cesse à intervalles irréguliers. Le cœur serré d'effroi et d'horreur j'essayais désespérément de comprendre le triomphant baragouin :

« Iä ! Iä ! Hastur ! Ugh ! Ugh ! Iä Hastur cf'ayak' vulgtmn, vugtlagln vulgtmn ! Ai ! Shub-Niggurath !... Hastur-Hastur cf'tagn ! Iä ! Iä ! Hastur !... »

Soudain tout s'éteignit. Je me tournai vers le juge Wilton mais mon esprit était tellement obnubilé de terreur que j'étais incapable de voir mon hôte, comme j'étais incapable de discerner la conduite à tenir... Puis, dans un éclair, avec un effet de cataclysme, je devinai que Paul Tuttle avait découvert trop tard la vérité, une vérité qui l'écrasait. Je laissai tomber le téléphone et me précipitai dans la rue sans manteau et sans chapeau tandis que mon hôte saisissait à nouveau l'appareil téléphonique pour appeler frénétiquement la police.

Avec une vitesse extraordinaire, je courus au long des rues hantées d'Arkham que la nuit d'octobre semblait peupler de fantômes. J'atteignis Aylesbury Road, puis le chemin où s'ouvrait la grille du jardin. Je m'arrêtai, à bout de souffle et, pendant un court instant, alors que la sirène des voitures de police retentissait derrière moi, je regardai la maison des Tuttle se profiler au-delà du verger sur le ciel sombre, comme une silhouette magnifique mais curieusement bordée de rouge, silhouette magnifique mais cruelle et démoniaque.

Sans hésiter, j'actionnai le détonateur. Avec un fracas terrifiant, la vieille demeure vola en éclats, laissant la place à un brasier dont les flammes dansaient dans la nuit.

Pendant quelques instants, je restai ainsi, immobile, conscient soudain de l'arrivée de la police par la route située au sud de la maison, puis j'avançai pour rejoindre les nouveaux venus et vis que l'explosion avait mis à ciel ouvert ce que Paul avait deviné : un enchevêtrement de cavernes souterraines situées sous la maison. La terre elle-même semblait s'engloutir dans un gouffre béant et les flammes qui s'étaient élevées chuintaient et s'évanouissaient en fumée au contact de l'eau jaillissant des profondeurs.

C'est à cet instant que se produisit le second événement, une dernière manifestation surnaturelle qui effaça ce que je voyais dans le brasier mêlé à l'eau noirâtre. Une grosse masse protoplasmique s'éleva au centre du lac délimitant l'ex-emplacement de la maison des Tuttle, et cette « créature » surgit en hurlant et se précipita vers nous à travers la pelouse avant de s'arrêter soudain pour faire face à une nouvelle apparition identique. Elles se livrèrent une lutte titanesque pour la suprématie, lutte brusquement interrompue par une éblouissante explosion de lumière qui semblait émaner d'un point à l'est du ciel comme un éclair d'une invraisemblable puissance. Une gigantesque décharge d'énergie électrique en forme de lumière qui pendant un instant éclaira toute la scène, tandis que deux espèces de tentacules de feu jaillissaient de l'aveuglante colonne principale ; l'un saisit la masse qui se trouvait dans l'eau, la leva très haut et la projeta au loin dans l'océan tandis que l'autre arrachait à la pelouse la deuxième créature et la propulsait, tel un éclair noir, dans les cieux où elle disparut au milieu des étoiles éternelles. Ensuite régna un silence profond, absolu, cosmique. Là où s'était produite cette lumière fantastique, ne restaient plus que l'obscurité et les silhouettes des arbres qui se dressaient contre le ciel. A l'est, bas sur l'horizon, luisait l'œil clignotant de Bételgeuse alors qu'Orion s'élevait dans cette nuit d'automne.

Pendant un moment je n'aurais pas su dire ce qui était le plus difficile à supporter, le fracas qui venait de troubler la nuit l'instant d'avant ou le silence absolu de la seconde présente. Les cris horrifiés des policiers me rappelèrent à la réalité. Je compris rapidement qu'ils n'avaient pas pu deviner le secret le plus horrible de cette terrible histoire, un secret capable de rendre fou et qui dans les heures sombres de ma vie bouleverse mon esprit jusque dans son fondement le plus intime. Ils avaient, bien sûr, entendu comme moi ce sifflement, bref et faible, ces lamentations inarticulées venant des profondeurs incommensurables de l'espace cosmique, ces gémissements portés par le vent et ces syllabes qui flottaient dans les remous de l'air : « Tekeli-li, tekeli-li, tekeli-li... » Et ils avaient certainement vu aussi cette « créature » qui s'était dirigée vers nous en surgissant des ruines fumantes, cette caricature informe d'un être humain, dont les yeux disparaissaient sous une épaisse couche d'écailles, cette « chose » qui agitait vers nous des bras flasques comme les tentacules d'une pieuvre, *et qui piaillait en émettant des sons inarticulés avec la voix de Paul Tuttle.*

Mais ils ne pouvaient pas connaître le secret que moi seul avais découvert, le secret qu'Amos Tuttle devait avoir soupçonné pendant les dernières heures de sa vie, et que Paul avait sans doute deviné à son tour, malheureusement trop tard : le refuge recherché par Hastur l'Innominé, le refuge promis à « Celui qui ne doit pas être nommé », n'était pas le tunnel, ni la maison, mais le corps et l'âme d'Amos Tuttle lui-même, ou, en cas d'impossibilité, la chair vivante et l'âme immortelle de celui qui occupait la maison maudite d'Aylesbury Road.

LES ENGOULEVENTS
DE LA COLLINE

1

JE pris possession de la maison de mon cousin Abel
Harrop dans les derniers jours d'avril 1928. Il était en
effet évident que la police d'Aylesbury se révélait
incapable, volontairement ou non, de progresser dans
l'enquête sur sa disparition et j'étais décidé à poursuivre moi-même les recherches. C'était une question de
principe plus que d'affection car mon cousin Abel
s'était toujours tenu un peu à l'écart du reste de la
famille. Depuis son adolescence, il s'était acquis une
solide réputation d'original et n'avait jamais fait le
moindre effort pour nous rendre visite ou pour nous
convier chez lui. D'autre part, sa maison, perdue dans
la vallée à une dizaine de kilomètres d'Aylesbury Pike,
après Arkham, n'était pas un endroit particulièrement
attrayant pour nous qui vivions à Boston et Portland. Je
tiens à préciser clairement, avant de raconter les
différentes péripéties de cette aventure, qu'aucun autre
motif ne m'incita à venir m'installer chez lui.

La maison de mon cousin était très simple. Comme je
l'ai dit, elle était construite dans le style conventionnel
des demeures de la Nouvelle-Angleterre, comme on en
rencontrait dans les villages des environs et même
beaucoup plus loin vers le sud. Elle était rectangulaire
et comportait deux étages, avec une petite terrasse à

l'arrière et une véranda sur un côté pour compléter le rectangle. Cette véranda avait été autrefois efficacement abritée mais l'écran qui la protégeait était percé de nombreux trous. Le tout présentait une profonde apparence de décrépitude. Cependant, la maison elle-même, qui était en bois, paraissait assez nette. Ses murs avaient été repeints moins d'un an avant la disparition de mon cousin et cette couche de peinture avait tenu suffisamment pour donner un air de jeunesse à la maison, si l'on ne tenait pas compte, bien sûr, de la véranda. A sa droite il y avait un bûcher et, à côté, un fumoir à poisson. Il y avait aussi un puits recouvert d'un petit toit pointu et un treuil auquel étaient encore accrochés des seaux rouillés. Sur la gauche, une pompe plus pratique et deux petits hangars. Mon cousin n'étant pas fermier, la propriété n'abritait aucun animal.

L'intérieur de la maison était en bon état. Manifestement, mon cousin en avait pris soin, bien que les meubles qu'il avait hérités de ses parents morts une vingtaine d'années plus tôt eussent été vermoulus et que le tissu des fauteuils eût été usé et fané par le temps. Le rez-de-chaussée était constitué d'une minuscule cuisine qui ouvrait sur la cour de derrière, d'un salon meublé à l'ancienne mode, plus grand que la normale, et d'une autre pièce qui avait autrefois été une salle à manger mais que mon cousin avait transformée en bureau. Elle regorgeait de livres, posés n'importe où, sur des étagères que mon cousin avait fabriquées lui-même, sur les chaises, sur un secrétaire, sur la table, et même sur le sol. L'un d'entre eux était encore ouvert sur la table, tout comme il l'était à la disparition de mon cousin. On m'avait dit au poste de police d'Aylesbury que rien n'avait été déplacé. Le deuxième étage était un grenier transformé. Dans toutes les pièces, au nombre de trois et de dimensions réduites, le toit était en pente. Deux d'entre elles étaient des chambres, l'autre servait

de réserve, chacune ne comportait qu'une seule fenêtre. Une des chambres se trouvait au-dessus de la
cuisine, l'autre au-dessus du salon et la réserve au-
dessus du bureau. Je n'avais aucune raison de croire
que mon cousin occupait l'une des deux chambres. On
m'avait laissé entendre qu'il couchait dans le salon.
Comme le sommier du lit dans cette pièce se révéla
particulièrement doux, je décidai d'en faire autant.
L'escalier conduisant au premier étage partait de la
cuisine, contribuant ainsi pour une grande part au
manque de place.

Les circonstances de la disparition de mon cousin
étaient très simples, le lecteur qui se souviendrait des
quelques reportages parus dans les journaux de l'époque pourrait en témoigner. Il fut aperçu pour la
dernière fois à Aylesbury au tout début du mois d'avril.
Il acheta cinq livres de café, dix livres de sucre, du fil
métallique et un grand morceau de filet de pêche.
Quatre jours plus tard, le 7 avril, l'un de ses voisins
passa près de la maison. Ne voyant aucune fumée sortir
de la cheminée, il s'approcha et entra après quelques
hésitations. Mon cousin entretenait apparemment de
mauvais rapports avec son voisinage. Il était plutôt
bourru, et ses voisins le tenaient à l'écart. Cependant,
comme la température était assez fraîche ce 7 avril,
Lem Giles s'approcha de la porte et frappa. Ne
recevant pas de réponse, il poussa la porte. Elle n'était
pas fermée et il entra. Il trouva la maison déserte et
froide. Une lampe qu'on avait allumée près d'un livre
encore ouvert avait achevé de se consumer entièrement. Giles trouva curieuse l'absence du propriétaire,
mais il n'en parla que trois jours plus tard, le 10,
lorsque en se rendant à Aylesbury, il passa à nouveau
devant la maison et s'arrêta pour les mêmes raisons,
retrouvant les lieux dans le même état. Ce jour-là il en
fit part à un commerçant d'Aylesbury qui lui conseilla
d'aller raconter l'affaire au shérif. C'est ce qu'il fit non

sans une certaine répugnance. Un shérif-adjoint se rendit aussitôt à la villa de mon cousin. Comme le dégel avait eu lieu récemment et que la neige avait fondu, il était impossible de relever des traces de pas. D'autre part, une petite quantité seulement de sucre et de café ayant été utilisée, on en déduisit que mon cousin avait disparu un jour ou deux après son dernier passage à Aylesbury. Etant donné que le filet qu'il avait acheté était encore en tas sur un fauteuil dans un coin du salon, il était évident que mon cousin avait eu l'intention de l'utiliser pour confectionner quelque chose. Mais bien que ce genre de filet eût été employé le long de la côte pour la pêche aux gros poissons, les projets d'Abel restaient obscurs.

Les efforts des hommes du shérif d'Aylesbury se résumèrent, comme je l'ai déjà insinué, à une enquête de pure forme. Rien n'indiquait qu'ils se fussent passionnés pour la disparition de leur concitoyen. Ils se découragèrent sans doute trop vite devant la réticence de ses voisins. Ce qui n'était pas mon intention. Si les rapports des policiers étaient dignes de confiance, et je n'avais aucune raison de penser le contraire, ses voisins avaient tenu mon cousin à l'écart, et même maintenant après sa disparition, alors qu'il était présumé mort, ils ne désiraient pas davantage parler de lui qu'ils ne tenaient à le fréquenter auparavant. En effet, je recueillis une preuve péremptoire du sentiment de ces voisins avant la fin de ma première journée dans la propriété.

Bien que la maison ne possédât pas d'installation électrique, elle comportait le téléphone ; quand il sonna au milieu de l'après-midi, moins de deux heures après mon arrivée à la villa, je descendis et décrochai oubliant que la ligne faisait partie d'un système à postes groupés. Je me préparai à répondre, mais quand je pris l'appareil quelqu'un parlait déjà. J'aurais raccroché sans plus attendre si l'on n'avait pas mentionné le nom de mon cousin. Poussé par une curiosité indiscrète mais bien naturelle, j'écoutai.

— ... il y a quelqu'un dans la villa d'Abel Harrop, dit une voix féminine. Lem est passé par là en revenant de la ville, il y a une dizaine de minutes, et il a aperçu un homme.

Dix minutes, pensai-je. Il devait s'agir de Giles, le plus proche voisin qui habitait un peu plus haut sur la colline.

— Oh, madame Giles, vous ne croyez pas qu'il soit revenu ?

— Dieu nous en préserve ! Mais ce n'est pas lui. Du moins, Lem dit que la silhouette qu'il a vue ne lui ressemblait pas.

— S'il revient, je partirai d'ici. J'en ai déjà suffisamment supporté.

— On n'a trouvé aucune trace de lui.

— Et on n'en trouvera jamais. « Ils » l'ont emporté. Je savais qu'il les appelait. Amos lui avait dit de se débarrasser de ces ouvrages, mais il savait tout mieux que les autres. Il restait assis des nuits entières à lire ces livres diaboliques.

— Ne vous inquiétez pas, Hester.

— Après tout ce qui s'est passé, nous avons de la chance d'être encore en vie pour nous inquiéter.

Cette conversation quelque peu ambiguë confirma ma première impression : les habitants de ce vallon retiré au milieu des collines en savaient beaucoup plus qu'ils ne l'avaient prétendu aux policiers. Mais ce premier entretien n'était qu'un début. Ensuite, le téléphone sonna toutes les demi-heures et mon arrivée chez mon cousin fut le principal sujet de conversation. Chaque fois, j'écoutai sans le moindre scrupule.

Les familles qui résidaient autour de « la Poche » où s'élevait la propriété d'Abel étaient au nombre de sept. Aucune des habitations ne se trouvait en vue de la villa. Il y avait dans l'ordre, en commençant par le haut du vallon : Lem et Abby Giles, leurs deux fils, Arthur et Albert, et une fille, Virginia, une simple d'esprit d'une vingtaine d'années ; près d'eux et un peu plus bas, Lute et Jethro Corey, célibataires et un domestique, Curtis Begbie ; à l'est, plus loin dans les collines, Seth Whateley, sa femme Emma, et leurs trois enfants, Willie, Mamie et Ella ; plus bas et un mile à l'opposé de la propriété de mon cousin, Laban Hough, un veuf, ses enfants, Susie et Peter, et sa sœur Lavinia ; environ un à deux miles plus bas, le long de la route qui conduisait à « la Poche », Clem Osborn et sa femme Marie, et deux domestiques, John et Andrew Baxter ; sur les collines, à l'ouest de la villa de mon cousin, Rufus et Angeline Wheeler, ainsi que leurs fils, Perry et Nathaniel ; et enfin les trois sœurs Hutchins, Hester, Joséphine et Amélia avec deux domestiques, Jesse Trumbull et Amos Whateley.

Tous ces gens étaient branchés sur la même ligne téléphonique que mon cousin. En moins de trois heures, les femmes s'appelant les unes les autres, tout le monde fut informé de ma venue. Comme chaque femme ajouta sa part d'information, on sut qui j'étais et on devina les raisons de ma présence. Cette agitation était sans doute normale dans un hameau aussi isolé où l'événement le plus bénin prenait une importance considérable pour des gens qui n'avaient pas d'autres sujets d'intérêt. Mais le plus troublant de ces conversations téléphoniques était cette peur qui suintait à travers chaque mot. Manifestement, mon cousin Abel Harrop avait été tenu à l'écart en raison de ses étranges occupations et de la frayeur qu'il inspirait. C'était troublant de penser qu'une telle crainte aurait pu aisément conduire quelqu'un au meurtre pour tenter d'y échapper.

Je savais qu'il ne me serait pas facile de vaincre la suspicion des voisins, mais j'étais résolu à ne pas me laisser rebuter. Je me couchai assez tôt ce soir-là, mais je n'avais pas songé aux difficultés que j'allais éprouver pour m'endormir dans une telle région. Alors que j'attendais un silence total, j'allais être obligé de supporter, au contraire, une infernale cacophonie de sons qui assaillaient et envahissaient la maison. En effet, une demi-heure après le coucher du soleil, alors que la pénombre régnait dans le vallon, un engoulevent solitaire me vrilla les oreilles d'un cri strident et régulier comme je n'en avais jamais entendu auparavant. Il ne resta seul que cinq minutes ; un peu plus tard, vingt de ses congénères l'avaient rejoint et au bout d'une heure leur nombre dépassa largement la centaine. Comme la configuration du vallon était telle que les flancs des collines se renvoyaient l'écho de l'un à l'autre, j'éprouvais l'impression d'être cerné par des centaines de ces oiseaux qui se répondaient d'une manière ininterrompue. Leur cri variait d'intensité, commençant comme un appel à peine murmuré pour s'élever avec une force explosive qui éclatait juste sous ma fenêtre et finir à nouveau en un murmure qui semblait venir de tous les coins de la vallée. Connaissant un peu les mœurs des engoulevents, je m'attendis d'abord à les voir s'interrompre une heure plus tard pour reprendre leur désagréable concert le lendemain, juste avant l'aube. Mais je me trompais complètement. Non seulement les oiseaux poursuivirent leur vacarme toute la nuit, mais il fut évident que leur nombre s'accrut sans cesse comme s'ils arrivaient du fond des bois pour se poser partout, sur le toit de la maison, sur les volets aussi bien que dans le jardin, faisant un tel bruit qu'il me fut impossible de m'endormir avant l'aube où, un par un, ils s'éloignèrent tandis que leurs cris se perdaient dans le lointain.

Je compris dès cet instant que je ne pourrais pas supporter longtemps cette horripilante cacophonie, terrible pour les nerfs.

Je n'avais pas dormi une heure que la sonnerie du

téléphone me réveilla, complètement exténué. Je me levai et décrochai le récepteur, me demandant qui pouvait bien m'appeler à une telle heure et ce qu'on me voulait.

Je murmurai un « allô » ensommeillé.

— Harrop ?

— Ici Dan Harrop.

— J'ai quelque chose à vous dire. Vous m'entendez ?

— Qui est à l'appareil ? demandai-je.

— Ecoutez-moi, Harrop. Si vous savez ce qui est bon pour vous, vous ferez bien de filer d'ici le plus vite possible.

Je n'étais pas encore remis de mon étonnement que mon interlocuteur raccrocha. Encore abruti par le manque de sommeil, je restai immobile quelques instants, puis je reposai le récepteur. Une voix d'homme bourrue et âgée, certainement un des voisins. Le timbre de la sonnerie prouvait que l'appel venait d'un abonné de la ligne et non du central.

J'étais à mi-chemin de mon lit improvisé dans le salon quand le téléphone sonna à nouveau. Bien que la sonnerie ne fût pas pour moi, je retournai à l'appareil. Il était maintenant six heures trente et le soleil commençait à apparaître au sommet des collines.

C'était Emma Whateley qui appelait Lavinia Hough.

— Vinnie, tu les as entendus la nuit dernière ?

— Oh, mon dieu, oui ! Emma, tu crois que ça veut dire que…

— Je n'en sais rien. C'était absolument horrible. Je n'avais rien entendu de pareil depuis le jour où Abel s'était rendu dans les bois, l'été dernier. Willie et Mamie sont restés éveillés toute la nuit. J'ai peur, Vinnie.

— Moi aussi. Mon dieu ! Et si ça recommençait ?

— Tais-toi, Vinnie. Quelqu'un pourrait nous entendre.

Le téléphone sonna toute la matinée. C'était le seul

sujet de conversation. Je compris rapidement que les engoulevents et leur vacarme de la nuit étaient responsables de cet affolement des voisins. Pour ma part, j'avais trouvé leur manifestation ennuyeuse, mais il ne m'était pas venu à l'esprit qu'elle pouvait être anormale. Toutefois, à la lumière des conversations que j'avais surprises, il était non seulement anormal mais inquiétant d'entendre des oiseaux crier avec une telle insistance et une telle constance. Ce fut Hester Hutchins qui parla clairement la première de la peur superstitieuse des voisins en téléphonant à l'une de ses cousines de Dunwich, quelques miles plus au nord.

— Les collines ont encore parlé la nuit dernière, Flora, souffla-t-elle d'une voix pressante et angoissée. Je les ai entendues toute la nuit. Je n'ai pas pu fermer l'œil. C'étaient des engoulevents. Il y en avait près de chez Harrop, mais ils étaient si bruyants qu'on les aurait crus sur le pas de la porte. Ils sont venus chercher l'âme de quelqu'un, comme ils étaient venus à la mort de Benjv Wheeler, de la sœur Hough, de la femme de Curtis Begbie, Annie. Je le sais. Je le sais. J'ai compris maintenant. Quelqu'un va mourir. Et, bientôt, tu peux me croire sur parole.

« Une étrange superstition », pensai-je. Néanmoins, cette nuit-là, après une journée chargée qui ne m'avait pas laissé le loisir de commencer mon enquête auprès des voisins, je me préparai à la venue des engoulevents, assis dans l'obscurité près de la fenêtre du bureau. Je ne jugeais pas nécessaire de faire de la lumière, car nous étions à trois jours de la pleine lune et celle-ci éclairait brillamment le paysage de cette lueur verdâtre si particulière au clair de lune. Bien avant d'envahir le vallon, l'obscurité recouvrit les collines boisées qui l'entouraient. Ce fut des coins les plus reculés et les plus sombres des bois que s'élevèrent les premiers cris des engoulevents. Il y avait eu étrangement peu de manifestations d'autre oiseaux nocturnes avant les engoulevents. Seuls, quelques corbeaux de nuit étaient apparus dans le ciel. Ils avaient décrit quelques spirales en croassant lugubrement, puis ils avaient plongé brusquement, vers la côte, en une chute à couper le souffle, provoquant un étrange « zoom » au plus fort de leur plongeon. Mais aucun ne se fit plus voir ou entendre après la tombée de la nuit et l'un après l'autre, les engoulevents commencèrent à crier. Ils apparurent quand l'obscurité envahit la vallée. Sans aucun doute, ils se glissaient en un vol silencieux des bois vers la maison où je me tenais. Je vis le premier s'approcher, comme une tache sombre dans le clair de lune et se poser sur le toit pointu du puits. Quelques instants plus tard, un autre le rejoignit, puis un suivant et un autre encore. Bientôt ils couvrirent le sol entre la maison et les hangars. Puis je sus qu'il s'en trouvait aussi sur le toit de la villa. Ils occupaient chaque pouce de terrain. J'en dénombrai plus de cent avant de m'arrêter de compter, n'étant plus très sûr de ne pas les confondre en raison de leurs déplacements incessants.

A aucun moment ils n'interrompaient leurs cris. J'avais toujours estimé que le cri d'un engoulevent possédait une espèce de douceur nostalgique, mais j'ai changé d'avis. Les oiseaux entouraient la maison, faisant entendre la plus infernale des cacophonies concevables. Si le chant d'un engoulevent entendu à une certaine distance peut paraître harmonieux et agréable, ce même cri poussé juste devant ma fenêtre était incroyablement aigu et déplaisant. Il semble alors un intermédiaire entre un hurlement et un bruit de crécelle. Multiplié des dizaines et des dizaines de fois, le bruit devenait proprement insoutenable, si horripilant qu'au bout d'une heure pendant laquelle se répéta le même processus que la nuit précédente, je cherchai une échappatoire en me bourrant les oreilles de coton. Ce subterfuge ne m'apporta qu'un bref et temporaire soulagement, mais son action s'ajoutant à la fatigue de ma nuit blanche, je parvins tant bien que mal à m'endormir après avoir pris un somnifère. Ma dernière pensée avant de sombrer dans le sommeil fut qu'il était nécessaire de me mettre au travail sans tarder sinon les cris incessants des engoulevents qui, manifestement, descendraient des collines tous les soirs de la saison, risqueraient de me faire perdre la raison.

Je fus réveillé avant l'aube. Le somnifère avait cessé d'agir, mais les engoulevents n'avaient pas encore interrompu leurs cris. Je m'assis sur mon lit et regardai immédiatement par la fenêtre. Les oiseaux se tenaient toujours là, bien qu'ils se fussent quelque peu éloignés de la maison, et leur nombre avait diminué. La faible clarté de l'aube naissait à l'est et, prenant la place de la lune qui avait disparu, brillaient les astres du matin, les planètes, Mars déjà haute dans le ciel de l'est, Vénus et Jupiter dans leur splendeur rougeoyante, à peine cinq degrés au-dessus de l'horizon.

Je m'habillai, me préparai un petit déjeuner et, pour la première fois, m'arrêtai devant les ouvrages que mon cousin avait empilés. J'avais donné un rapide coup d'œil au livre resté ouvert sur la table, mais je n'avais pas compris grand-chose, sauf qu'il semblait être imprimé en caractères qui imitaient l'écriture cursive et, par conséquent, difficilement lisible. D'autre part, il traitait de sujets étranges qui me paraissaient les élucubrations échevelées d'une imagination débordante.

Les autres recueils de mon cousin semblaient traiter des sujets similaires. Un exemplaire de *l'Almanach du vieux fermier* me parut familier, mais il était le seul de son espèce. Je pensais lire plutôt plus que la normale, mais je ressentis un étrange sentiment d'ignorance devant la bibliothèque de mon cousin, si l'on peut appeler ainsi le ramassis disparate que je trouvai.

Cependant, un rapide examen de cette bibliothèque me fit éprouver un certain respect pour Abel, dont les connaissances en langues étrangères dépassaient largement les miennes, si vraiment il avait été capable de lire tous les recueils qu'il possédait. Il y en avait, en effet, en différentes langues à en juger par leurs titres, et la plupart d'entre eux m'étaient incompréhensibles. Je me rappelais vaguement avoir entendu parler de l'œuvre du révérend Ward Phillips, *les Prodiges thaumaturgiques sur la terre de Chanaan*, mais jamais de recueils comme *le Culte des Goules* du Comte d'Erlette, du *De Vermis Mysteriis* de Ludvig Prinn, du *Ars Magna et Ultima*, de Lully, des *Manuscrits Pnakotiques*, du *Texte de R'lyeh*, du *Unaussprechlichen Kulten* et de bien d'autres encore. Il ne me vint pas à l'esprit que ces ouvrages pussent contenir la clé de la disparition de mon cousin jusqu'au moment où, plus tard dans la journée, je décidai de consacrer mon temps à essayer d'entrer en rapport avec mes voisins, espérant que mon enquête personnelle auprès d'eux me permettrait d'en découvrir davantage que les policiers.

Je me rendis tout d'abord chez Lem Giles dont la propriété se trouvait environ un mile plus au sud. L'accueil qu'on me réserva ne fut guère encourageant, Abby Giles, une grande femme décharnée, m'aperçut de la fenêtre et, secouant la tête, refusa de venir jusqu'à la porte. Alors que je restais dans le jardin ne sachant pas trop comment lui faire admettre que je n'étais pas dangereux, Lem Giles sortit précipitamment de la grange, l'air agressif.

— Qu'est-ce que vous voulez, étranger ? demanda-t-il.

Bien qu'il m'appelât « étranger », je savais qu'il me connaissait parfaitement. Je me présentai et lui expliquai que je désirais découvrir la vérité sur la disparition de mon cousin. Pouvait-il m'apprendre quelque chose à ce sujet ?

— Je n'ai rien à dire, répondit-il brièvement. Allez

interroger le shérif. Je lui ai raconté tout ce que je savais.

— J'ai une impression curieuse : il me semble que les gens des environs en savent plus qu'ils ne le prétendent.

— C'est possible. Ils ne disent rien en tout cas, ça c'est sûr.

Je ne pus rien tirer de plus de Lem Giles. Je me rendis ensuite chez les Corey, mais la maison était apparemment vide et je ne reçus aucune réponse. Alors j'empruntai un raccourci qui, je le supposais devait me conduire à la propriété des Hutchins et qui m'y conduisit en effet. Mais avant d'arriver en vue de la maison, je fus aperçu et hélé par un homme qui travaillait dans les champs et je me retrouvai en face d'un athlétique personnage qui possédait un thorax large comme une barrique et qui me dépassait d'une bonne demi-tête. Sans aménité il me demanda où j'allais.

— Je vais chez les Hutchins.

— Inutile de vous donner cette peine, répondit-il. Il n'y a personne. Je travaille pour eux. Je m'appelle Amos Whateley.

J'avais déjà parlé à Amos Whateley. Je reconnaissais sa voix. C'était lui qui m'avait conseillé de quitter la région aussi vite que possible. Je l'observai en silence pendant quelques instants.

— Je m'appelle Dan Harrop, dis-je enfin, je suis venu découvrir ce qui est arrivé à mon cousin, et j'y parviendrai.

Je vis qu'il savait depuis le début qui j'étais. Il m'étudia longuement avant de reprendre la parole.

— Et si vous le découvrez, vous repartirez ?

— Je n'aurai aucune raison de rester.

Il paraissait indécis, comme s'il n'avait pas confiance en moi.

— Vous vendrez la maison ? poursuivit-il.

— Elle ne m'est d'aucune utilité.

— Alors je vais vous dire, reprit-il en se décidant soudain. Votre cousin, ce Harrop, a été emporté par Ceux de l'Au-delà. Il « les » a appelés et « Ils » sont venus.

Il s'arrêta de parler aussi brusquement qu'il avait commencé et, me scrutant de ses yeux noirs :

— Vous ne me croyez pas ! s'exclama-t-il. Vous ne savez pas !

— Je ne sais pas quoi ?

— Vous ne savez rien de Ceux de l'Au-delà, me dit-il, l'air profondément déçu. Je n'aurais pas dû vous parler de ça, alors. Faites comme si je n'avais rien dit.

Je m'efforçai de rester patient. Je lui expliquai une fois de plus que j'étais seulement venu pour découvrir ce qui était arrivé à Abel.

Mais il n'était plus intéressé par le sort de mon cousin.

Scrutant toujours mon visage, il demanda :

— Les livres. Est-ce que vous avez lu les livres ?

Je secouai négativement la tête.

— Je vous conseille de les brûler. Oui, brûlez-les tous avant qu'il ne soit trop tard.

Il parlait avec une insistance presque fanatique.

— Je sais ce qu'ils contiennent, croyez-moi.

Ce furent ces dernières paroles qui m'incitèrent par la suite à étudier les recueils laissés par mon cousin.

Ce soir-là, donc, je m'assis à la table comme Abel avait dû le faire si souvent, à la lueur de la même lampe, alors que le chœur des engoulevents s'élevait déjà à l'extérieur, pour examiner avec le plus grand soin l'ouvrage que mon cousin avait lu. Je découvris presque aussitôt, à mon grand étonnement, que j'avais commis une erreur : le recueil qui m'avait semblé imprimé en caractères imitant l'écriture cursive avait été en réalité rédigé entièrement à la main.

J'acquis ensuite une désagréable conviction : le

manuscrit, qui ne portait aucun titre, était relié en peau humaine. Il était certainement très ancien et semblait être composé de feuilles de papiers d'origines différentes sur lesquelles le compilateur avait recopié des phrases et des pages entières d'autres livres. Certaines étaient écrites en latin, d'autres en anglais et d'autres enfin en français. L'écriture était trop exécrable pour me permettre de lire avec assurance les pages transcrites en latin ou en français mais je parvins à déchiffrer après les avoir étudiées celles qui étaient en anglais.

La plus grande partie ne comportait qu'un charabia incompréhensible, mais je remarquai deux pages que mon cousin, ou quelque autre lecteur précédent, avait annotées au crayon rouge et j'en déduisis qu'elles avaient dû présenter quelque importance pour Abel. Je m'évertuai à clarifier le sens du manuscrit hermétique. La première partie était heureusement assez courte.

« Pour faire venir Yog-Sothoth de l'Extérieur, ayez la sagesse d'attendre que le Soleil soit dans la Cinquième Maison, quand Saturne est en train, tracez le pentagramme de feu, et récitez trois fois le Neuvième verset, en répétant que la Fête de Roodemas et Hallon projettera la Chose dans les Espaces Au-delà de la Grille, dont Yog-Sothoth est le gardien. A la première tentative vous risquez de ne pas Le voir venir mais de faire apparaître Un Autre qui désire tout autant grandir. S'Il n'a pas à sa disposition le sang d'Un Autre, Il s'efforcera de prendre le vôtre. Alors considérez tout ceci avec le plus grand sérieux. »

A la suite de ce paragraphe, mon cousin avait ajouté cette ligne : « Cf. page 77 du Texte. »

Délaissant pour le moment cette référence, je repris la seconde page marquée, mais j'eus beau la lire attentivement, je n'en compris pas le sens. Je devinai seulement qu'elle était pleine d'extravagances et fidèlement copiée sur un manuscrit bien plus ancien.

« En ce qui concerne les Anciens, d'après les écrits,

ils attendent à la Porte et la Porte est partout dans tous les temps. Ils ne savent rien du temps ni de l'endroit, mais ils sont dans tous les temps et dans tous les endroits sans jamais s'y montrer, et il y en a parmi eux qui peuvent prendre des aspects et des formes variables et tous les aspects et toutes les formes et toutes les Portes sont pour eux dans n'importe quel lieu mais en particulier là où j'ai été appelé, c'est-à-dire à Irem, la Cité des Piliers, la Cité sous le désert, où les hommes qui prononcent les Mots Interdits devront établir une porte et attendre Ceux qui franchiront la Porte, comme les Dhols, les Abominables Mi-Go, le peuple Tcho-Tcho, les Etres des Profondeurs, les Gugs, les Fantômes de la Nuit, les Shoggoths et les Voormis, les Shantaks qui gardent Kadath dans les Etendues Glacées et sur le Plateau de Leng. Tous sont semblables aux Enfants des Dieux Aînés, mais les Descendants de Yith et ceux des Grands Anciens ne s'entendent pas entre eux ni avec les Dieux Aînés. Ils se sont séparés, laissant aux Grands Anciens la possession de la Terre, tandis que la Grande Race, revenant d'Yith, installait Sa Demeure dans les temps futurs et sur des Espaces Terrestres inconnus de ceux qui marchent maintenant sur la Terre, et là Elle attend que viennent à nouveau les vents et les voix qui La porteront en avant et qui Lui permettront de se déplacer avec les Vents sur toute la Terre et parmi les espaces sidéraux jusqu'à la fin des temps. »

Je lus ce texte avec étonnement et, comme il ne signifiait rien pour moi, je retournai à la première page et m'efforçai d'en comprendre le sens caché. Je n'y parvins pas, mais je ne pus m'empêcher de penser aux allusions d'Amos Whateley concernant « Ceux de l'Au-delà ». A la réflexion, je supposai que l'annotation de mon cousin devait se référer au *Texte de R'lyeh*. Je pris donc ce petit recueil et me reportai à la page indiquée. Ma connaissance de la langue n'était malheureusement pas suffisante pour obtenir une parfaite compréhension du texte, mais il semblait s'agir d'une prière ou d'un chant louant quelque divinité ancienne, adorée autrefois par une race primitive. Je le parcourus tout d'abord des yeux silencieusement, puis je le lus à voix haute, lentement, mais il n'avait pas plus de sens, si ce n'est qu'il ressemblait curieusement à un ancien credo religieux qui devait relater, je le devinai, une période de l'existence.

Lorsque, l'esprit fatigué par mes recherches, j'abandonnai la lecture des recueils, les engoulevents avaient repris possession du vallon. J'éteignis et regardai à l'extérieur de la maison le paysage baigné de clair de lune. Les oiseaux étaient là, comme les soirs précédents. Ils projetaient des ombres noires sur l'herbe et sur le toit. A la clarté de la lune, ils avaient un aspect bizarrement tourmenté, et ils paraissaient anormalement grands. Je pensais que les engoulevents n'avaient pas plus de dix pouces de long, mais ceux-ci en atteignaient douze ou quatorze et leur grosseur étant proportionnelle, ils semblaient singulièrement volumineux. Cette impression provenait sans doute du jeu d'ombre et de lumière provoqué par la lune, jeu qui agissait sur mon imagination fatiguée et conditionnée. Il était permis de penser que la véhémence et la force de leurs cris étaient en rapport avec leur taille apparemment anormale. Ils se tenaient beaucoup plus tranquilles cette nuit et me donnaient la désagréable sensation d'appeler quelqu'un ou quelque chose, ou d'attendre un événement qui devait se produire, de telle sorte que les paroles de Hester Hutchins me revinrent en mémoire : « Ils viennent chercher l'âme de quelqu'un. »

2

LES faits étranges qui allaient par la suite se produire dans la propriété de mon cousin commencèrent cette nuit-là. Quelle que fût la cause qui déclencha le mouvement, il semblait qu'une force maligne venait de prendre possession du vallon. Je me réveillai au cours de la nuit, croyant entendre, au milieu du vacarme des engoulevents, une voix qui s'élevait dans les profondeurs de la nuit. Instantanément réveillé, je tendis l'oreille. J'écoutai jusqu'au moment où les *whip-poorwill* perçants poussés par des centaines de gorges parurent marquer le rythme des battements de mon pouls, le rythme de la palpitation des astres.

Alors j'entendis... et écoutai en doutant du témoignage de mes propres oreilles.

Une sorte de chant qui s'élevait par moments jusqu'à un hululement, en une langue que je ne connaissais pas. Même aujourd'hui, je ne peux pas le transcrire avec précision. Imaginez quelqu'un qui tourne le bouton de réglage d'un poste de radio si rapidement que les émissions en différentes langues se chevauchent et s'entremêlent et vous établirez un vague parallèle avec la sensation que j'éprouvais. Cependant, une espèce de refrain semblait se répéter, et malgré mes efforts je ne pus m'ôter cette idée de la tête. Le baragouin que je percevais s'harmonisait étrangement avec les cris des engoulevents. Il me fit penser à des litanies, avec le prêtre récitant la prière et l'audience reprenant en chœur. Le bruit me parvenait par intermittence, avec une prédominance de consonnes coupées occasionnellement de quelques voyelles. La phrase la plus intelligible, et qui semblait être répétée indéfiniment aurait pu se transcrire comme ceci : « Lllllll - nglui, nnnnn-lagl, fhtagn-ngah, ai Yog-Sothoth ! » Le ton des voix allait crescendo pour exploser sur les dernières syllabes et c'était à ce moment que les engoulevents répondaient sur un même rythme. Ils ne cessaient pas totalement de crier, mais quand les autres bruits se produisaient, les chants des engoulevents s'affaiblissaient et paraissaient s'éloigner, pour s'intensifier à nouveau et éclater triomphalement dans la nuit, en réponse à ces bruits.

Ceux-ci étaient étranges et terrifiants, mais ils l'étaient moins que leur source qui semblait située à l'intérieur de la maison, dans une des pièces du haut ou du dessous. Mais plus j'écoutais et plus je devenais convaincu d'entendre ce chœur mystérieux et inquiétant naître dans la pièce même que j'occupais. C'était comme si les murs eux-mêmes battaient au rythme des lamentations. Comme si la maison tout entière accompagnait ces pulsations, comme si mon être au plus profond de lui-même prenait part à cette terrifiante litanie, non pas passivement, mais activement et même joyeusement.

Je ne saurais dire combien de temps je restai dans cet état cataleptique. Mais les sons finirent progressivement par cesser. Je perçus vaguement ce que je pourrais décrire comme des pas gigantesques quittant la terre pour les cieux, accompagnés d'un grand bruissement des engoulevents s'envolant du toit et du jardin. Je tombai ensuite dans un profond sommeil dont je ne devais pas sortir avant le milieu du jour.

Je me levai avec vivacité car je tenais à poursuivre

mon enquête auprès des voisins avec le plus de célérité possible. Mais j'avais aussi l'intention d'étudier de plus près les livres laissés par mon cousin. Aussi, lorsque, à midi, j'entrai dans le bureau et m'approchai de la table, je fermai le recueil qu'il avait lu et le mis de côté. J'étais pleinement conscient de ce que je faisais et j'étais décidé à en lire autant que je le pourrais. Mais j'éprouvais au fond de moi-même un autre sentiment : la conviction bien arrêtée et déraisonnable de connaître déjà tout ce qu'il y avait dans ce livre, tout ce qu'il y avait dans tous les ouvrages entassés dans la pièce... Tout. Et davantage encore. Et alors que je prenais conscience de cette conviction, il me sembla sentir monter du tréfonds de mon être comme une résurgence d'un passé ancestral avec lequel je ne voyais aucun lien, un monument de connaissance, tandis que se croisaient, devant les yeux de mon esprit, des hauteurs titanesques et des profondeurs sans limites, et que je voyais des êtres géants et amorphes, comme des masses de matière protoplasmique, lançant en avant des membres qui s'apparentaient à des tentacules, alors qu'ils se terraient dans les entrailles de la terre en des lieux insoupçonnés, sombres et dénués de toute végétation, projetés monstrueusement au cœur des étoiles perdues. Dans mon subconscient, j'entendis des noms loués et chantés : « Cthulhu, Yog-Sothoth, Hastur, Nyarlatho-tep, Shub-Niggurath » et bien d'autres encore. Je savais qu'il s'agissait des Anciens condamnés et chassés par les Dieux Aînés et attendant derrière la Grille de réinté-grer les places qu'ils occupaient sur la terre dans les temps les plus reculés. La splendeur et la gloire de travailler à leur service m'apparurent clairement. Je sus qu'ils reviendraient se battre pour la domination de la terre, contre les habitants de celle-ci et qu'ils affronte-raient à nouveau le courroux des Dieux Aînés comme la pitoyable et misérable humanité affronte celui du destin.

Et je découvris, comme Abel avait dû le comprendre, que leurs sujets étaient les élus, que ces élus devaient les adorer et leur trouver un refuge, les accueillir et les nourrir jusqu'au jour de leur retour, jour où la Grille serait ouverte et où des milliers d'autres Grilles secondaires s'entrouvriraient sur toutes les parties de la terre.

Cette vision apparut puis s'estompa presque aussitôt comme une image sur un écran, et je ne saurais en préciser l'origine. Elle fut si brève, si fugitive, que le bruit du livre tombant sur la pile où je l'avais jeté résonnait encore quand elle s'acheva. J'étais ébranlé car je sentais, tout à la fois, que ma vision n'avait aucun sens et que, pourtant, elle possédait une importance hors de proportion avec cette maison, ce vallon, et même l'univers que je connaissais.

Je sortis de la villa et m'exposai au soleil de midi dont les rayons bienfaisants chassèrent mes sombres pressentiments. Je jetai un coup d'œil à la maison. Le soleil faisait étinceler ses murs blancs sur lesquels se découpait l'ombre d'un orme. Je pris la direction du sud-est, à travers des champs laissés à l'abandon, vers la propriété des Whateley qui se trouvait à environ un mile. Seth Whateley était le frère cadet d'Amos. Ils s'étaient querellés quelques années plus tôt pour une raison inconnue, m'avait-on dit à Aylesbury, et maintenant ils évitaient de se parler et de se voir bien qu'habitant à deux miles l'un de l'autre. Amos avait vécu chez les Whateley de Dunwich qui étaient, à en croire les habitants d'Aylesbury, la branche déchue d'une vieille famille noble du Massachusetts. Sur sa plus grande partie, le chemin serpentait dans les collines, au long des pentes abondamment boisées et, très souvent, je dérangeai des engoulevents qui s'envolaient sans bruit et décrivaient quelques cercles avant de se poser à nouveau horizontalement sur des branches ou sur le sol, s'harmonisant merveilleusement avec les feuilles ou l'écorce des arbres et m'observant de leurs petits yeux noirs et perçants : Ici et là, j'aperçus des œufs cachés au milieu des feuilles. Les collines regorgeaient d'engoulevents, mais je n'avais pas eu besoin de venir jusqu'au cœur des bois pour le savoir. Il me parut tout de même étrange qu'ils fussent dix fois plus nombreux sur le versant qui faisait face à la propriété de mon cousin que sur celui qui lui était opposé. Mais c'était un fait. En descendant, à travers les bois pleins de la senteur de mai, le versant qui menait au vallon où résidaient les Whateley, je n'effrayai qu'un seul oiseau qui s'écarta sans bruit, mais ne s'éloigna pas et resta à m'observer tandis que je passais devant lui. Il ne me vint pas à l'esprit, à ce moment, que cette curieuse attention des engoulevents sur ce versant pût être inquiétante.

J'appréhendais la réception des Whateley et je découvris rapidement que mes craintes étaient fondées. En effet, Seth Whateley s'avança à ma rencontre, un fusil à la main, le regard menaçant.

— Je ne vous conseille pas de nous ennuyer ! me lança-t-il avec défi alors que j'approchais.

Il venait manifestement de finir de déjeuner et il retournait à son travail dans les champs quand il m'avait aperçu. Il était alors rentré rapidement dans la maison pour y prendre son fusil. Derrière lui, je pouvais voir sa femme avec ses trois enfants accrochés à ses jupes, m'observant les yeux emplis d'effroi.

— Je ne veux pas vous déranger monsieur Whateley !

Je m'efforçais de parler sur le ton le plus rassurant possible tout en réprimant l'irritation qui m'envahissait devant l'inimitié de l'accueil que les voisins me réservaient partout où j'allais.

— Je tiens seulement à savoir ce qui est arrivé à mon cousin Abel.

Il me lança un regard glacial avant de répondre.

— Nous ne savons rien. Nous n'avons pas l'habitude

d'espionner les voisins. Votre cousin pouvait faire ce qu'il voulait tant qu'il nous laissait tranquilles. Même s'il y a des sujets qu'il vaut mieux ne pas aborder, ajouta-t-il sombrement.

— Quelqu'un a dû le faire disparaître, monsieur Whateley.

— Il a été emmené. C'est mon frère qui le prétend, à ce qu'on m'a dit. On lui a pris son corps et son âme. Et si un homme recommence à fouiner là où il ne faut pas, il lui arrivera la même chose. Aucun être humain ne lui a fait quoi que ce soit. Il n'aurait pas dû se montrer trop curieux.

— Je vais découvrir...

Il me menaça de son arme.

— Vous ne trouverez rien par ici. Je vous ai dit que nous ne savions rien. Et je vous le répète. Ne le prenez pas mal, mais ma femme est inquiète et je ne tiens pas à la voir complètement affolée. Alors, allez-vous-en !

L'invitation de Seth Whateley était peut-être grossière mais elle était catégorique.

Je reçus à peu près le même accueil chez les Hough. Cependant, je ressentis, d'une façon plus poignante, une certaine tension dans l'atmosphère, j'y décelai, non seulement la peur mais aussi la haine. Ils se montrèrent plus polis, mais aussi anxieux de se débarrasser de moi. Quand je les quittai, sans avoir reçu la moindre réponse encourageante à mes questions, j'avais compris que, pour leurs esprits obtus, la mort de la femme de Laban Hough était imputable d'une manière ou d'une autre à mon cousin. Je l'avais deviné moins à ce qu'ils avaient dit qu'à ce qu'ils n'avaient pas dit. L'accusation était contenue dans les mots non prononcés et que je pouvais lire dans leurs yeux soupçonneux et sur leurs lèvres qui remuaient sans bruit. Je le compris sans avoir besoin de chercher plus loin et je me souvins des paroles d'Hester Hutchins à sa cousine Flora qui avait accusé les engoulevents d'avoir appelé l'âme de Benjv Wheeler, de la fille Hough et d'Annie Begbie. Alors, sans avoir à en entendre plus, je sus que les oiseaux et mon cousin étaient mêlés à la même superstition primitive qui hantait jour et nuit la conscience de ces paysans isolés. Mais je ne pouvais pas encore savoir quels liens reliaient entre eux tous ces événements. Il était patent, en tout cas, que ces gens me considéraient avec la même frayeur et le même dégoût que mon cousin et quelle que fût la raison qu'ils avaient de haïr et de redouter Abel, il était clair qu'elle s'appliquait aussi à moi dans leurs esprits à l'intelligence limitée. Pourtant Abel, si je me fiais à mes souvenirs, avait toujours été beaucoup plus sensible que moi. Sous un aspect bourru, il était un être doux, veillant à ne déranger personne, incapable de faire du mal à un animal et encore moins à un humain. Les soupçons de ses voisins avaient dû naître dans l'ombre de la superstition qui hante encore à l'époque actuelle les villages isolés, toujours prête à chasser de nouvelles sorcières de Salem, et à persécuter jusqu'à la mort d'innocentes victimes sans défense dont le seul crime est une connaissance supérieure à celle de leurs concitoyens.

Ce fut cette nuit-là, nuit de la pleine lune, que l'horreur envahit le vallon.

Mais avant d'apprendre ce qui était arrivé, dans la « Poche » cette nuit-là, je vécus de mon côté des événements singuliers. Ils commencèrent dès mon retour à la maison, à travers les collines après ma dernière visite de l'après-midi, visite à la famille Osborn, aussi peu accueillante que les autres, alors que le soleil disparaissait déjà derrière le sommet des collines. Je me trouvais à table. J'éprouvai de nouveau une étrange impression. Je fus persuadé de ne pas être seul dans la villa. Alors je délaissai mon dîner et décidai d'en avoir le cœur net. Après avoir, sans résultat, fouillé le rez-de-chaussée, je pris une lampe car les petites fenêtres du haut ne laissaient guère passer de lumière, et j'entrepris de visiter le premier étage. Durant tout ce temps il me semblait confusément entendre quelqu'un m'appeler, quelqu'un m'appeler avec la voix d'Abel, à la manière dont il criait mon nom quand nous étions enfants et que nous jouions ensemble dans cette maison, du vivant de ses parents.

Dans le débarras situé à l'extrémité du couloir, je fis une découverte qui me laissa perplexe et que, aujourd'hui encore, je ne saurais expliquer rationnellement. Je fis cette découverte par hasard, en découvrant qu'un carreau manquait à une fenêtre. Je ne m'en étais encore jamais rendu compte. La pièce était emplie de boîtes et d'objets usagés, entassés et rangés assez proprement, de manière à laisser entrer par l'unique fenêtre le plus de lumière possible. Je suivis l'espèce de couloir ainsi formé et m'approchai de la fenêtre. Quand j'eus contourné l'entassement des boîtes, je remarquai qu'un petit espace libre avait été ménagé entre ces boîtes et la fenêtre, espace assez grand pour permettre à un homme d'y glisser une chaise et de s'y asseoir. Et, effectivement, je trouvai une chaise mais personne n'y était assis. En revanche, je découvris des vêtements que je reconnus pour avoir appartenu à Abel et la manière dont ils étaient disposés sur la chaise me fit frissonner, sans que je puisse savoir pourquoi j'étais si effrayé.

Le fait est que ces vêtements étaient curieusement disposés. Il ne semblait pas que quelqu'un les eût posés de cette manière. Même après une longue réflexion, je ne crois pas que quelqu'un aurait pu les disposer ainsi. Je les observai longtemps avant de parvenir à la seule explication logique : quelqu'un avait dû s'asseoir là et avait été, par la suite, retiré de ses vêtements, comme s'il en avait été aspiré. Les vêtements s'étaient ensuite affaissés sur eux-mêmes. Je posai la lampe et les examinai de plus près. Ils n'étaient absolument pas poussiéreux... Ils ne devaient pas se trouver sur la chaise depuis longtemps. Je me demandai si les hommes du shérif les avaient aperçus bien que je visse mal quelle conclusion autre que la mienne ils auraient pu tirer de cet indice. En définitive, je les laissai sur la chaise sans les déplacer et décidai de prévenir la police dès le lendemain. Mais je fus distrait par une chose, puis par une autre, et les événements qui se succédèrent dans la « Poche » me les firent complètement oublier. Les vêtements sont toujours là-bas, affaissés sur la chaise, tels que je les ai trouvés par cette nuit de pleine lune, près de la fenêtre du débarras. Je l'affirme, ici et maintenant, car la présence de ces vêtements abandonnés est une preuve formelle de ce que j'affirme. Elle me permet de lutter contre les terribles doutes qui ne manquent pas de me troubler.

Cette nuit-là, les engoulevents crièrent avec une insistance diabolique.

Je commençai à les entendre alors que je me trouvais encore dans le débarras. Ils appelaient du cœur des sombres pentes boisées qui se trouvaient maintenant dans l'ombre, alors que loin vers l'ouest, le soleil, bas sur l'horizon, n'avait pas encore disparu et, bien que le vallon fût déjà dans une semi-obscurité, le soleil devait encore briller sur la route qui reliait Arkham à Aylesbury. Il était tôt pour les engoulevents, très tôt. Ils ne s'étaient jamais manifestés d'aussi bonne heure. Déjà irrité par la stupide superstition qui m'avait accueilli dans toutes mes visites de la journée, j'étais certain de ne pas pouvoir supporter une autre nuit d'insomnie sans danger pour mon système nerveux.

Bientôt, les cris et les appels déferlèrent de toutes parts, Whippoorwill, Whippoorwill... Rien que ce hurlement monotone et aigu. Whippoorwill, Whippoorwill... Ils descendaient des collines vers le vallon. Ils emplissaient cette nuit de pleine lune à mesure que les oiseaux cernaient la maison de plus en plus près, et que cette dernière semblait lui faire écho, d'une voix qui lui était propre, comme si chaque poutre, chaque clou, chaque pierre, chaque bardeau, chaque planche répondait au vacarme de l'extérieur, à l'affolant, à l'horrible Whippoorwill ! Whippoorwill ! Whippoorwill ! qui s'élevait en un chœur cacophonique et faisait se tordre chaque fibre de mon être. Ces hurlements formaient une vague qui heurtait les murs de la maison et rebondissait jusqu'au flanc des collines, comme si elle faisait partie d'une litanie fantastique et toutes les cellules de mon corps gémissaient de douleur devant cet assourdissant triomphe.

Il était près de huit heures quand ce soir-là je décidai de réagir. Je n'avais apporté aucune arme avec moi. Le fusil de mon cousin avait été saisi par le shérif et se trouvait encore au poste de police d'Aylesbury. Mais j'avais découvert une barre de fer sous le lit où je couchais. Mon cousin l'avait manifestement cachée là au cas où il aurait été surpris en pleine nuit par des cambrioleurs. Je décidai de sortir et de tuer le plus possible d'engoulevents en espérant les chasser ainsi pour de bon. Comme je n'avais pas l'intention de m'éloigner, je laissai brûler la lampe dans le bureau.

Dès mes premiers pas dans le jardin, les engoulevents s'écartèrent devant moi. Mais mon irritation n'en éclata pas moins et je me ruai sur eux, frappant au hasard tandis qu'ils s'envolaient autour de moi, certains silencieusement, d'autres en piaillant toujours horriblement. Je les poursuivis hors du jardin, sur la route, dans les bois, à nouveau sur la route et encore dans les bois. Je les poursuivis très loin sans pouvoir préciser à quelle distance, mais je sais que j'en tuai beaucoup avant de regagner la maison complètement exténué. J'eus à peine la force d'éteindre la lampe qui s'était presque entièrement consumée avant de me laisser tomber sur le lit. Avant que les engoulevents qui m'avaient échappé en s'enfuyant eussent repris leur vol vers la maison, je m'étais endormi.

Comme j'ignorais l'heure de mon retour, je ne

saurais dire combien de temps j'avais dormi quand la sonnerie du téléphone me réveilla. Bien que le soleil fût déjà assez haut dans le ciel, il n'était pas encore cinq heures et demie. Comme j'en avais pris l'habitude, je me rendis à la cuisine où se trouvait le téléphone et décrochai. Ce que j'entendis me glaça le sang d'horreur.

— Madame Wheeler, ici Emma Whateley. Vous connaissez la nouvelle ?

— Non, madame Whateley, je ne suis au courant de rien.

— Mon Dieu, c'est horrible ! C'est au sujet de Bert Giles. Il a été tué. On l'a découvert aux environs de minuit dans le chemin qui conduit au ruisseau des Giles, près du pont. C'est Lute Corey qui l'a trouvé. On dit qu'il a poussé un cri qui a réveillé Lem Giles. Et à la seconde où Lem a entendu hurler son voisin, il a compris, il a tout compris. La mère de Bert l'avait supplié de ne pas aller à Arkham, mais il avait décidé de s'y rendre et il ne l'a pas écoutée, vous savez comment ils sont dans cette famille. Et puis il devait rejoindre les Baxter qui travaillent à la ferme des Osborn, à trois miles de chez les Giles. Ils devaient faire la route ensemble ensuite. On ne sait pas ce qui l'a tué, mais Seth, qui est passé sur les lieux ce matin au lever du soleil, m'a dit que le sol était tout retourné, comme si on s'était sauvagement battu. Il a vu le pauvre Bert ou du moins ce qu'il en restait. Mon Dieu ! Seth a dit qu'il avait été égorgé et qu'il avait les poignets tailladés. Ses vêtements étaient en lambeaux. Et ce n'est pas tout, même si c'est le pire : alors que Seth se trouvait là-bas, Curtis Begbie est arrivé en courant et lui a appris que quatre vaches de Corey qui passaient la nuit dans les champs, au sud, avaient été tuées. Elles avaient été égorgées, tout comme Bert.

— Mon Dieu ! s'exclama Mme Wheeler, terrifiée. A qui le tour maintenant ?

— Le shérif pense que c'est peut-être un animal sauvage, mais il n'y a aucune trace reconnaissable. Il est arrivé sur les lieux peu de temps après la découverte du massacre, mais Seth dit qu'il n'a pas appris grand-chose.

— Oh ! ce n'était pas pire quand Abel était là

— J'ai toujours dit qu'Abel n'était pas le plus terrible. Je le savais. Je le savais que certains bons amis de Seth, Wilbur ou le vieux Whateley, par exemple, sont bien pires que ne l'était un gars comme Abel Harrop. Je le savais, madame Wheeler. Et il y en a d'autres à Dunwich, les Whateley ne sont pas les seuls.

— Si ce n'est pas Abel...

— Et Seth m'a dit que pendant qu'il se trouvait encore à côté du cadavre du pauvre Bert Giles, Amos était arrivé. Amos qui n'a pour ainsi dire jamais adressé la parole à Seth en dix ans s'est contenté de jeter un rapide coup d'œil et à murmuré entre ses dents une phrase du genre : « Ce pauvre crétin a prononcé les paroles. » Simplement ça. Alors Seth s'est tourné vers lui et lui a demandé : « Qu'est-ce que tu racontes, Amos ? » Amos l'a regardé et lui a lancé : « Rien n'est plus dangereux qu'un fou qui ne sait pas ce qu'il a entre les mains. »

— Amos Whateley a toujours été un sale bon-homme, madame Whateley. Tout le monde le sait et ce n'est pas ce que vous racontez qui modifiera ce que nous pensons, au contraire.

— Personne ne le sait mieux que moi, madame Wheeler.

A ce moment, d'autres femmes vinrent se joindre à la conversation. Mme Osborn prit la parole pour leur apprendre que les Baxter, lassés d'attendre et pensant que Bert avait changé d'avis, étaient partis pour Arkham. Ils étaient revenus vers onze heures trente. Hester Hutchins prédit que « ce n'était qu'un commencement, Amos l'avait dit ». Vinnie Hough hurla hystériquement qu'elle avait décidé d'emmener les enfants, sa nièce et son neveu, à Boston et d'attendre que le diable « cherche refuge ailleurs ». Ce fut seulement quand Hester Hutchins leur apprit que Jesse Trumbull venait de renter en répétant à tout le monde que Bert Giles avait été vidé de son sang, ainsi que les quatre vaches de Corey, que je raccrochai.

Je pouvais reconnaître la naissance d'une légende et le travail, le travail insidieux de la superstition qui s'édifie, en les modifiant, sur des faits réels. J'entendis, tout au long de la journée, des récits plus ou moins différents. A midi, le shérif s'arrêta chez moi et me demanda, pour la forme, si je n'avais pas entendu quelque chose au cours de la nuit. Je lui répondis que j'étais incapable d'entendre autre chose que les cris des engoulevents.

Comme tous ceux qu'il avait interrogés avaient mentionné le vacarme des engoulevents, il n'en fut pas surpris. De son côté, il m'apprit que Jethro Corey s'était réveillé pendant la nuit et avait entendu meugler les vaches, mais le temps pour lui de se lever et de s'habiller, elles avaient cessé leur vacarme. Il avait pensé que peut-être, elles avaient été troublées par le passage de quelque animal sauvage, car les collines fourmillaient de renards et de ratons laveurs et il s'était recouché. Mamie Whateley avait entendu quelqu'un hurler. Elle affirmait avoir reconnu la voix de Bert, mais comme elle n'en avait parlé qu'après avoir appris tous les détails du massacre, le shérif mettait ses affirmations au compte d'une imagination fertile et d'une tentative puérile pour attirer l'attention sur elle-même. Après le départ du shérif, je reçus la visite d'un de ses adjoints qui se montra sérieusement mal à l'aise, car leur incapacité à résoudre le mystère de la disparition de mon cousin constituait une mauvaise note dans leur dossier et ce nouveau crime risquait de leur attirer de nouvelles critiques. Mais à part ces visites et quelques sonneries de téléphone, je ne fus pas dérangé de la journée et je m'arrangeai pour dormir un peu en prévision des cris des engoulevents qui allaient certainement troubler ma nuit.

Et, pourtant, curieusement, cette nuit-là, les engoulevents et leurs piaillements aigus me jouèrent un bon tour. J'étais parvenu à trouver le sommeil malgré leur cacophonie et j'avais dormi environ deux heures quand je me réveillai en sursaut. Je pensai tout d'abord que l'aube s'était levée, mais je me trompais. Je compris tout à coup que ce qui m'avait réveillé était l'absence de vacarme. Le brusque silence des engoulevents et le calme total qui en avait résulté m'avaient tiré de mon sommeil. Cet événement curieux et sans précédent m'intrigua profondément. Je me levai, passai un pantalon et allai jeter un coup d'œil par la fenêtre.

J'aperçus un homme qui s'éloignait de la maison en courant, un homme très grand. Je pensai immédiatement au sort du malheureux Bert Giles la nuit précédente et je fus momentanément paralysé par la peur, car un colosse de cette taille pouvait très bien être le responsable du massacre, un homme hanté de manies humaines et je me rappelai alors qu'un seul homme répondait à ce signalement dans le vallon : Amos Whateley. La direction qu'il emprunta en disparaissant dans la nuit était celle de la ferme Hutchins où il travaillait. Ma première impulsion fut de courir à sa poursuite et de l'appeler, mais j'y renonçai en apercevant soudainement du coin de l'œil une lueur orange. J'ouvris précipitamment la fenêtre et je me penchai au-dehors. Le feu avait pris au bas du coin droit de la villa. Grâce à la promptitude de mon action et aussi grâce à un seau plein d'eau que je trouvai près de la pompe, je pus éteindre sans peine les flammes naissantes alors que le feu n'avait eu le temps de commettre qu'un minimum de dégâts. Seule une surface de deux ou trois pieds carrés avait été quelque peu roussie. Mais il était évident que le feu avait été mis volontairement et sans aucun doute par Amos Whateley. Si les engoulevents n'avaient pas brusquement cessé leurs piaillements, j'aurais péri au milieu des flammes. En tout cas, j'en fus particulièrement troublé, car si mes voisins me détestaient au point d'utiliser de tels moyens pour se débarrasser de moi, que pouvais-je encore attendre d'eux ? Toutefois, la lutte avait toujours fouetté mon énergie. Après quelques instants d'hésitation, je réagis comme à mon ordinaire et me retrouvai plus décidé que jamais à atteindre mon but. Si mon enquête sur la disparition de mon cousin affolait ces gens à un tel point, j'étais dans le vrai en pensant qu'ils en savaient beaucoup plus qu'ils ne le prétendaient. Je retournai me coucher résolu à affronter Amos Whateley dès le lendemain. Il se trouverait sans aucun doute dans un des champs des Hutchins et nous pourrions avoir une conversation sérieuse.

Au milieu de la matinée, je me mis, comme prévu, à la recherche d'Amos Whateley. Je le trouvai à l'endroit où je l'avais déjà rencontré, dans le champ au sommet de la colline, mais cette fois-ci il ne s'avança pas vers moi. Au contraire, il arrêta ses chevaux et m'observa sans bouger. En m'approchant du petit mur de pierres sèches, je vis que le visage barbu d'Amos exprimait autant d'appréhension que de défi. Il se tenait immobile, se contentant de repousser son chapeau un peu en arrière sur sa tête. Ses lèvres étaient serrées au point de ne plus dessiner qu'une ligne mince et ses yeux me surveillaient avec acuité. Comme il se tenait relativement près de la clôture, je m'arrêtai où je me trouvais, à la lisière du bois.

— Whateley, je vous ai vu mettre le feu à ma maison cette nuit, dis-je. Pourquoi ?

Ma question resta sans réponse.

— Allons, je suis venu m'expliquer avec vous.

J'aurais très bien pu me rendre directement à Aylesbury et aller tout raconter au shérif.

— Vous avez lu les livres, me lança-t-il d'une voix rauque. Je vous avais dit de ne pas le faire. Vous avez lu le passage à voix haute. Je sais que vous l'avez fait. Vous avez ouvert la Grille et Ceux de l'Au-delà peuvent venir. Vous êtes comme votre cousin. Il Les a appelés et Ils sont venus. Mais il n'a pas fait ce qu'Ils voulaient. Alors Ils l'ont emmené. Mais il ne savait pas. Et vous, vous ne savez pas non plus, hein ? A cette seconde précise, Ils sont dans la vallée et personne ne peut dire ce qui se passera maintenant.

Il me fallut un certain temps pour comprendre quelque chose à ce charabia. Même après réflexion, le sens de sa tirade n'était pas très clair, ni logique. Amos voulait apparemment suggérer qu'en lisant à voix haute un passage du recueil de mon cousin, j'avais permis à une force de « l'Au-delà » de pénétrer dans le vallon, sans aucun doute une nouvelle manifestation de l'absurde superstition des gens du pays.

— Je n'ai aperçu aucun étranger, dis-je sèchement.

— On ne les voit pas toujours. Mon cousin Wilbur prétend qu'ILS peuvent prendre la forme qu'Ils désirent, Ils peuvent pénétrer à l'intérieur de votre corps, Ils peuvent se nourrir par votre bouche et voir par vos yeux. S'Ils ne sont pas satisfaits, Ils vous emmènent, comme Ils ont enlevé votre cousin. Vous ne les voyez pas, poursuivit-il d'une voix maintenant proche de l'hystérie, parce qu'Ils sont en vous en ce moment.

J'attendis patiemment que son excitation se calmât quelque peu.

— Et que mangent-ils ? demandai-je tranquillement.

— Vous le savez ! hurla-t-il avec force : le sang et l'esprit. Le sang pour croître et l'esprit pour acquérir la sagesse humaine. Riez si vous voulez, mais c'est la vérité. Les engoulevents le savent, eux. C'est pour cette raison qu'ils crient toutes les nuits près de votre maison.

Malgré son visage grave et son ton sérieux, je ne pus m'empêcher de sourire comme il l'avait lui-même prévu.

— Mais cela ne m'explique pas pourquoi vous avez tenté de faire brûler ma maison, et moi avec par la même occasion.

— Je ne vous veux pas de mal, mais je tiens à vous voir partir. Si vous n'avez plus de maison, vous ne pourrez pas rester.

— Vous représentez l'opinion des autres habitants des collines ?

— C'est moi qui en sais le plus, répondit-il, une certaine fierté dans sa voix se mêlant à sa crainte pleine de défi. Mon grand-père a eu les livres en main et il m'en a parlé. Mon cousin Wilbur était au courant lui aussi. J'en sais plus que les autres sur ce qui se passe là-haut — d'un bras il désigna le ciel — et en bas — il montra le sol. Il vaut mieux qu'ils ne sachent rien sinon ils auraient trop peur. En savoir la moitié est pire que ne rien savoir du tout. Vous auriez dû brûler les livres, monsieur Harrop, je vous l'avais dit. C'est trop tard maintenant.

J'observais son visage sans y voir un signe qui montrait qu'il ne parlait pas sérieusement. Il était parfaitement sincère, paraissant même regretter d'être obligé de me condamner à un destin abominable que lui seul entrevoyait. Pendant quelques instants je ne sus pas quelle attitude adopter. Je ne pouvais tout de même pas fermer les yeux sur sa tentative de faire brûler ma maison, et moi avec...

— Très bien, Amos. Quoi que vous sachiez, c'est votre affaire. Mais je sais que vous avez mis le feu à ma maison, et ça je ne peux pas le laisser passer. Je vous demande de réparer les dégâts. Venez quand vous aurez le temps. Si vous acceptez, je n'en parlerai pas au chérif.

— Vous ne voulez rien d'autre ?

— Quoi d'autre ?

— Si vous ne savez pas... bougonna-t-il. Je viendrai dès que possible.

Bien que ses affirmations eussent été ridicules, elles m'avaient tout de même déconcerté. En elles résidait une certaine logique. Mais je songeai tout en cheminant à travers bois pour rentrer chez moi que toutes les superstitions sont fondées sur quelque chose de plus ou moins logique, ce qui explique leur crédibilité et leur transmission d'une génération à une autre. Par ailleurs, Amos Whateley ressentait une peur incoercible. Une peur qui ne pouvait être attribuée qu'à la superstition. Whateley était un homme très robuste qui d'une seule main aurait pu me projeter par-dessus le mur de pierres sèches. L'attitude de ce personnage cachait un mystère profondément troublant dont il me fallait trouver la clé !

3

J'ARRIVE maintenant à la partie de mon récit qui va malheureusement rester confuse, car je ne suis moi-même pas très sûr de la chronologie des événements auxquels j'ai participé. Encore troublé par les élucubrations de Whateley et sa crainte superstitieuse, je rentrai chez moi et entrepris d'étudier de plus près les livres qui constituaient la bibliothèque de mon cousin. Je cherchais un indice qui justifierait la croyance de Whateley. Cependant, je n'eus pas plutôt ouvert un des ouvrages que j'éprouvais à nouveau la certitude de l'inutilité de ma lecture. Que gagne un homme à étudier ce qu'il sait déjà ? Et que peuvent penser ceux qui ne savent rien du tout ? Il me semblait apercevoir à nouveau cet étrange paysage avec ses gigantesques créatures amorphes, en même temps que j'entendais les louanges de ces noms maudits, détenteurs d'un pouvoir terrifiant, louanges accompagnées d'une musique irréelle et de lamentations chantées par des voix qui n'avaient rien d'humain.

Cette illusion ne dura qu'un bref instant, mais il fut suffisant pour me détourner de mes projets. J'abandonnai toute étude plus approfondie des ouvrages de mon cousin, et après un léger déjeuner je repris mon enquête sur la disparition d'Abel. N'accomplissant pas le moindre progrès, j'abandonnai vers le milieu de l'après-midi et rentrai à la villa en proie à des sentiments contradictoires. Je n'accusais plus aussi sévèrement le shérif et ses hommes de ne pas avoir fait leur possible pour retrouver Abel. Bien qu'étant toujours aussi déterminé à mener cette enquête à son terme, je commençais pour la première fois à douter de ma capacité à le faire.

La nuit suivante, j'entendis à nouveau les voix bizarres.

Je ne devrais peut-être plus les qualifier de « bizarres » car elles me devenaient familières. Elles n'étaient pas identifiables et cette fois encore leur origine resta un mystère. Mais cette nuit-là, les engoulevents furent plus bruyants que jamais. Leurs cris envahirent le vallon et toute la maison. Autant que je peux en juger, aux alentours de neuf heures ils se manifestèrent. La nuit était orageuse. De gros nuages noirs s'accrochaient aux sommets des collines et recouvraient la vallée. Il faisait une chaleur humide. Cette humidité augmentait le vacarme des engoulevents et intensifiait les bizarres voix de l'espace qui s'élevèrent soudain sans préambule. Comme auparavant, elles restaient excessives, inintelligibles, diaboliques, et autre chose encore qui défiait toute description. A nouveau il y eut cette sorte de litanie, le chorus des engoulevents s'intensifiant en réponse à chaque mot ou chaque phrase jusqu'à provoquer une invraisemblable cacophonie de sons qui atteignit un vacarme terrifiant.

Pendant quelques instants je tentai de trouver un sens quelconque aux voix qui emplissaient la pièce, mais elles ne me semblaient pas cohérentes, ne me faisant entendre qu'un véritable charabia. Cependant, au fond de moi-même, je devinai que ce charabia cachait des paroles significatives et inquiétantes, magnifiques et terribles, suggestives et lourdes d'un sens que j'étais incapable de saisir. Je ne me préoccupai plus de déceler leur source. Je savais qu'elles provenaient de l'intérieur de la maison, mais je n'aurais su dire si elles étaient le résultat d'un phénomène quelconque ou de je ne sais quoi d'autre. Elles étaient le produit de l'obscurité, ou alors, je ne pouvais en ignorer la possibilité, la pure création d'une conscience profondément troublée par le cri démoniaque des engoulevents, qui émettaient de toutes parts leur terrible concert et emplissaient le vallon, la maison et mon esprit de leur infernal cri perçant, insoutenable pour les nerfs : Whippoorwill... Whippoorwill... Whippoorwill...

Je restais dans un état presque cataleptique, à écouter : « Llllll-nglui, nnnn-lagl, fhtagn-nagh, ai Yog-Sothoth ! »

Les engoulevents répondaient en vagues successives de cris qui venaient frapper la maison, qui s'y engouffraient, puis, avec un temps de retard sur les voix, l'écho revenait des collines, martelant mon subconscient avec une force à peine diminuée.

« Ygnaiih ! Y'btnk. EEE-ya-ya-ya-yahaaahaahaa-haaa ! »

Et toujours cette espèce d'explosion, cet incessant Whippoorwill, Whippoorwill, Whippoorwill qui résonnait dans l'obscurité de la nuit comme le roulement de milliers et de milliers de tambours.

Je perdis heureusement conscience.

Le corps et l'esprit humain peuvent supporter beaucoup d'épreuves s'ils disposent de temps de repos à des moments quelconques, mais mon repos de cette nuit-là s'accompagna d'un rêve d'une précision et d'une terreur indicibles. Je rêvai que je me trouvais dans un lieu perdu, un lieu planté de vastes bâtiments monolithiques, habités non par des êtres humains mais par des créatures qui dépassaient l'imagination, une région couverte de fougères arborescentes d'une espèce inconnue, de calamites et de sigillés qui entouraient les fantastiques bâtiments, ainsi que de terrifiantes forêts constituées d'arbres inconnus à la surface de la terre. Ici et là, se dressaient des colosses de pierre noire éclairés par un perpétuel crépuscule. A certains endroits, gisaient des débris basaltiques d'un âge incroyable. Dans ces lieux où régnait la nuit, les constellations du ciel ne présentaient rien de commun avec celles que je voyais d'ordinaire, pas plus que la topographie du terrain ne ressemblait à quoi que ce fût de ma connaissance, si ce n'est, peut-être, aux paysages imaginés par certains artistes et représentant la terre dans des temps préhistoriques bien antérieurs à la période paléozoïque.

Des créatures qui peuplèrent mon rêve, je me rappelle seulement qu'elles avaient des formes mouvantes et une taille gigantesque, qu'elles possédaient des membres qui s'apparentaient à des tentacules et leur permettaient de se déplacer aussi bien que de saisir et de tenir des objets. Ces tentacules avaient en outre la possibilité de se rétracter et réapparaître en un autre endroit du corps. Ces créatures habitaient des demeures monolithiques et la plupart d'entre elles se trouvaient dans un état de somnolence perpétuelle. Elles étaient nourries par des êtres fœtaux considérablement plus petits mais d'une structure qui leur permettait aussi de changer de forme. Elles étaient d'une sinistre couleur fongueuse, qui n'avait aucun rapport avec la couleur de la chair humaine et qui ressemblait d'ailleurs à la couleur des bâtiments. A certains moments les créatures paraissaient prendre des formes extraordinaires comme pour caricaturer les constructions curvilignes si fréquentes en de nombreux points de ce monde imaginaire.

Curieusement, les chants et les cris des engoulevents se poursuivaient comme s'ils faisaient partie intégrante du rêve, mais en perspective leur intensité augmentant ou décroissant comme si leur distance variait. Et j'eus l'impression de me trouver aussi dans ces lieux mais sur un plan différent, d'être moi aussi au service des

Grands, me rendant dans l'obscurité terrifiante des forêts inconnues, pour y égorger des bêtes et ouvrir leurs veines afin d'abreuver les Grands et leur permettre de croître dans un univers de dimensions différentes.

Je ne saurais dire combien de temps dura ce cauchemar. J'avais dormi toute la nuit et pourtant je fus anormalement fatigué à mon réveil, comme si j'avais peu dormi et travaillé la plus grande partie de la nuit. Je me traînai péniblement jusqu'à la cuisine et me préparai des œufs au bacon. Ensuite, je m'effondrai sur une chaise pour les manger. Ce petit déjeuner accompagné de plusieurs tasses de café me redonna quelques forces et je quittai la table un peu ragaillardi.

Le téléphone sonna alors que je coupais du bois dans le jardin. C'était la sonnerie des Hough, mais je rentrai précipitamment pour écouter.

Je reconnus immédiatement la voix d'Hester Hutchins, habitué comme je l'étais de sa langue intarissable.

— ... et on dit qu'il y en a eu six ou sept de tuées. Les meilleures bêtes de son troupeau, prétend M. Osborn. Elles se trouvaient dans le pré du sud, le plus proche du vallon d'Harrop. Dieu sait combien d'autres bêtes auraient été massacrées si le reste du troupeau n'avait pas réussi à abattre la clôture et à regagner l'étable. C'est pour ça que le domestique des Osborn, Andy Baxter, est allé jusqu'au champ avec une lanterne et il a vu les vaches. Elles étaient dans le même état que celles de Corey et que le pauvre Bert Giles. Elles étaient égorgées et vidées de leur sang. Dieu sait ce qui écume le vallon, Vinnie, mais il faut faire quelque chose, autrement nous allons tous mourir. Je savais que les engoulevents appelaient une âme et ils ont pris celle du pauvre Bert. Ils appellent encore, et je sais ce que cela signifie. Vous aussi, n'est-ce pas, Vinnie ? Des âmes sont promises aux engoulevents au prochain changement de lune.

— Que Dieu nous protège ! Je vais partir pour Boston dès que possible.

J'étais certain de recevoir avant la fin de la journée une nouvelle visite du shérif et je m'y étais préparé. Je n'avais rien entendu. Je lui expliquai que mon insomnie de la nuit précédente m'avait épuisé et que j'avais pris des dispositions pour dormir cette nuit malgré le vacarme des engoulevents. En retour, il me parla longuement des bêtes d'Osborn. Sept d'entre elles avaient été massacrées, me dit-il. Il y avait un fait étrange : aucune d'elles n'avait beaucoup saigné bien qu'elles eussent toutes été égorgées. En dépit de l'ignoble sauvagerie de ce carnage, il semblait que l'auteur en était un homme, car on avait découvert autour des cadavres des empreintes de pieds, malheureusement pas assez nettes pour permettre une observation précise. Cependant il poursuivit ses confidences. Un de ses hommes surveillait Amos Whateley depuis quelque temps. Amos avait tenu des propos bizarres et il avait agi comme s'il s'attendait à ce qui allait arriver. Le shérif parlait d'un ton las. Il n'avait cessé de courir d'un point à un autre depuis son arrivée à la ferme d'Osborn.

— Et vous, que savez-vous sur Whateley ? me demanda-t-il.

Hochant la tête, je lui répondis que je ne savais pas grand-chose de n'importe lequel de mes voisins.

— Mais j'ai entendu certaines phrases étranges, ajoutai-je. Les rares fois où nous nous sommes adressé la parole, il a prononcé des mots curieux.

Le shérif se pencha vers moi avec intérêt.

— N'a-t-il jamais parlé de « nourrir » quelqu'un de quelque chose ?

Je dus reconnaître que oui.

Le shérif sembla satisfait. Il prit congé après m'avoir

involontairement contrarié en m'obligeant à lui avouer mon échec dans l'enquête sur la disparition de mon cousin. Je n'étais pas surpris des soupçons du shérif envers Amos Whateley. Et, pourtant, quelque chose au fond de ma conscience s'opposait violemment à la théorie du shérif, tandis que j'éprouvais une impression de malaise comme le souvenir confus d'un acte laissé inachevé ou d'une velléité qui n'aurait pas trouvé son aboutissement.

Ma fatigue ne s'atténua pas au cours de la journée et je travaillai peu, me contentant de laver mes vêtements qui commençaient à devenir passablement poussiéreux. Je pris aussi le temps d'examiner le travail de mon cousin sur le filet de pêche. Il avait eu manifestement l'intention d'attraper quelque chose, et quel meilleur gibier aurait-il pu viser que les engoulevents qui l'avaient conduit à bout de résistance nerveuse. Peut-être aussi connaissait-il mieux que moi leurs habitudes et le vacarme de leurs cris incessants n'était sans doute pas la seule raison qui le poussait à les capturer.

Je dormis quand je le pus ce jour-là, écoutant de temps en temps les conversations toujours aussi affo-lées de mes voisins. Ces conversations furent sans fin. Le téléphone sonna toute la journée. Quelquefois les hommes s'entretenaient entre eux alors que jusqu'à présent les femmes avaient monopolisé la ligne. Ils parlaient de regrouper les troupeaux de vaches et d'organiser un tour de garde, mais personne ne tenait à rester seul. Ils suggérèrent alors de garder les bêtes dans les étables pendant la nuit. Je devinai que cette dernière solution recueillerait l'unanimité. Les femmes insistaient d'ailleurs pour ne laisser sortir personne la nuit et sous aucun prétexte.

— Ça n'arrive pas le jour, dit Emma Whateley à Marie Osborn. Il ne s'est jamais rien produit pendant la journée. Alors tout le monde doit rester enfermé dès la nuit tombée, quand le soleil a disparu derrière les collines.

Lavinia Hough était partie pour Boston en emmenant les enfants avec elle, comme elle l'avait dit.

— Elle a filé avec les gamins en laissant le pauvre Laban, précisa Hester Hutchins. Mais il n'est pas seul. Il est allé chercher un ami à Arkham pour lui tenir compagnie. Oh, c'est terrible ! C'est une punition du Seigneur. Le pire, c'est que personne ne sait à quoi Cela ressemble ni d'où Cela vient.

La superstition des vaches vidées de leur sang occupait une large part des conversations.

— On dit que les vaches n'ont presque pas saigné. Vous savez pourquoi ? Parce que leur sang avait été sucé, dit Angeline Wheeler. Mon Dieu ! que va-t-il nous arriver maintenant ? Nous ne pouvons tout de même pas rester ici à attendre que nous nous fassions tous tuer.

Ces conversations apeurées formaient une sorte de murmure dans l'ombre. Le téléphone donnait, tant aux hommes qu'aux femmes, l'impression d'être moins abandonnés, moins solitaires. Qu'aucun d'entre eux ne jugeât bon de m'appeler ne me surprenait guère. J'étais un nouveau venu et, dans ces régions, les étrangers ne sont acceptés dans un groupe comme en formaient les voisins d'Abel qu'au bout de longues années... et quelquefois jamais. Vers le soir, me sentant vraiment très las, je n'écoutai plus les conversations téléphoniques.

Les voix revinrent la nuit du surlendemain.

Et le cauchemar apparut de nouveau, lui aussi. Une fois encore, je me trouvais dans une vaste plaine où s'élevaient d'étranges édifices de basalte au cœur de forêts terrifiantes. Je sus qu'en ces lieux j'étais l'un des Élus, fier de servir les Anciens et aux ordres du plus grand d'entre eux, Celui qui était semblable aux autres mais en même temps différent d'eux, qui seul était capable de prendre la forme d'un amas de globes étincelants, le Gardien du Seuil, le Surveillant de la Grille, le Grand Yog-Sothoth, qui se préparait à reparaître dans son ancien repaire terrestre où je devrais continuer à Le servir. Oh! quelle puissance et quelle gloire! Quelle merveille et quelle horreur! Quel éternel bonheur! Et j'entendais les engoulevents. Leurs cris formaient un fond sonore qui s'amplifiait et s'atténuait alternativement, tandis que les chœurs s'élevaient vers les étoiles perdues, vers les entrailles terrestres, vers les cieux inconnus, vers les golfes et vers les cimes. Ils chantaient de toutes leurs forces:

— Llllll-nglui, nnnn-lagl, fhtagn-ngah, ai Yog-Sothoth!

Et je joignis ma voix à ces chants en Son honneur, Lui, le Gardien du Seuil...

— Llllll-nglui, nnn-lagl, fhtagn-ngah, ai Yog-Sothoth!

On m'a dit que je criais cette phrase quand on m'a découvert penché sur le cadavre de la pauvre Amelia Hutchins lui déchirant la gorge. La malheureuse femme avait été attaquée en revenant de chez Abby Giles. C'est ce que je hurlais dans ma rage bestiale alors que les engoulevents m'entouraient, criant et piaillant de leurs voix affolantes. Et c'est la raison pour laquelle on m'a enfermé dans cette pièce avec des barreaux aux fenêtres. Les idiots! Les idiots! Ayant échoué avec Abel, ils se raccrochent à n'importe qui. Comment pensent-ils éloigner l'un des Elus des Autres? Que peuvent des barreaux contre Eux?

Mais ils essayaient de m'affoler quand ils m'accusèrent d'être le responsable de tout ce qui était arrivé. Je n'ai jamais levé la main contre un être humain. Je leur ai dit qui était le coupable. Si seulement ils voulaient se donner la peine de mieux regarder. Je leur ai dit. Ce n'est pas moi. Non, je connais la vérité. Je crois l'avoir sue depuis le début, et s'ils cherchent ils trouveront des preuves.

« *Ce sont les engoulevents, les engoulevents qui ne cessent jamais de crier, les horribles engoulevents qui attendent en tournant lentement, les engoulevents, les engoulevents dans les collines...* »

QUELQUE CHOSE EN BOIS

IL est heureux que les limites de l'esprit humain ne lui permettent pas souvent de voir dans des perspectives correctes tous les faits et les événements qu'il côtoie. J'y ai songé de nombreuses fois et plus particulièrement en étudiant les circonstances de la disparition de Jason Wecter, le critique musical et artistique du *Journal de Boston*. Elle s'est produite il y a environ un an et un certain nombre d'hypothèses avaient été avancées : par exemple Wecter avait pu être la victime d'un meurtre commis par un artiste ulcéré par une critique trop outrancière ou bien encore il était tout simplement parti pour un endroit mystérieux, sans avoir prévenu personne et pour une raison connue de lui seul.

Cette dernière éventualité était peut-être plus vraisemblable qu'on ne le supposait communément. Son acceptation était cependant une question de terminologie et nécessitait de savoir si l'absence de Wecter était volontaire ou non. C'était toutefois une explication qui s'imposait aux esprits suffisamment imaginatifs pour l'entrevoir et certaines circonstances entourant l'événement ne conduisaient en effet à aucune autre conclusion. Je jouai un rôle et non des moindres dans ces péripéties, bien que personne, pas même moi, ne le sût avant la disparition effective de Jason Wecter.

Ces événements se présentèrent tout d'abord sous la forme d'un souhait des plus prosaïques. Wecter qui vivait seul dans une vieille demeure de King's Lane à Cambridge, à l'écart des lieux fréquentés, collectionnait les œuvres d'art primitif, de préférence de pierre ou de bois. Il possédait, par exemple, d'étranges sculptures religieuses de pénitents, des bas-reliefs mayas, des sculptures de Clark Ashton Smith, des fétiches et des statuettes de dieux et de déesses des îles des mers du Sud, et bien d'autres merveilles encore. Or, il désirait se procurer une œuvre en bois qui serait « différente », bien que je trouvasse quant à moi que les pièces offertes par Smith présentaient la plus grande variété que l'on pût souhaiter, mais ces pièces n'étaient pas en bois et Wecter voulait absolument quelque chose en bois pour harmoniser sa collection, car, en effet, il possédait surtout des œuvres de pierre, à part quelques masques de Ponape qui s'apparentaient plutôt aux étranges et géniales créations de Smith.

Je suppose que plus d'un ami de Jason Wecter se mit à la recherche d'une œuvre de bois. Mais par hasard ce fut moi qui trouvai dans une vieille petite boutique de Portland, où j'avais passé mes vacances, un objet assez étrange, remarquablement réalisé. C'était une sorte de bas-relief représentant une créature octopode qui surgissait d'une structure monolithique dans un décor subaquatique. Son prix était extrêmement raisonnable, quatre dollars, et mon incapacité à interpréter sa signification lui donnait encore plus de valeur aux yeux de Wecter.

J'ai qualifié la créature « d'octopode » mais ce n'était pas un poulpe. Je ne saurais lui donner un nom. Elle semblait posséder un corps plus long que celui d'un poulpe et assez différent. Ses tentacules jaillissaient non seulement de son visage, à la place où un nez aurait dû se placer, comme sur la sculpture de Smith « le Dieu Aîné », mais aussi des côtés et du milieu du corps. Les

deux tentacules accrochés au visage étaient manifestement préhensiles et sculptés dans une attitude telle
qu'ils semblaient vouloir saisir quelque chose. Juste au-
dessus de ces tentacules on découvrait deux yeux très
enfoncés au milieu d'une peau recouverte d'écailles de
telle sorte que le tout donnait l'impression d'une
créature diabolique. Au pied de la sculpture était
gravée cette ligne d'un langage inconnu :

« Ph'nglui mglw'nafh Cthulhu R'lyeh wgah'nagl
fhtagn. »

Je ne saurais préciser la nature du bois dans lequel
l'œuvre avait été exécutée si ce n'est qu'il était anormalement lourd, d'un brun très sombre presque noir et
dont le fil se présentait sous forme circulaire. A vrai
dire, je cherchais pour la collection de Jason Wecter
une pièce plus petite, mais j'étais tout de même certain
de lui faire plaisir en lui offrant celle-ci.

D'où venait cette statuette, je le demandai au
flegmatique petit personnage derrière son bureau. Il
releva ses lunettes sur son front et répondit qu'elle avait
été rejetée par l'Atlantique. Il ne savait rien de plus.

— Elle provient peut-être d'un bateau, hasarda-t-il.

Elle lui avait été apportée une semaine ou deux
auparavant avec différents autres objets par une sorte
de vagabond qui avait pris l'habitude de fouiller les
plages à la recherche d'épaves rejetées par la mer. Je lui
demandai ce qu'elle représentait, mais il dut reconnaître qu'il n'en avait pas la moindre idée. Jason aurait
donc les mains libres pour inventer la légende de son
choix.

Il fut enchanté de mon cadeau, surtout parce qu'il lui
découvrit immédiatement certaines similitudes frap-
pantes avec des pièces de Smith. Etant un expert en art
primitif, il mit en exergue un autre point qui prouvait
que le petit commerçant m'avait fait un véritable
cadeau en me cédant la sculpture à quatre dollars :
certaines marques indiquaient en effet que cette pièce

avait été façonnée à l'aide d'outils bien plus vieux que ceux de notre époque, des outils dont on ne trouvait même pas trace dans aucune des civilisations anciennes connues.

Je ne partageais pas la passion de Wecter pour l'art primitif, et ces détails ne présentaient pas un grand intérêt pour moi, pourtant je dois avouer avoir ressenti une certaine répulsion quand Jason juxtaposa la sculpture octopode aux pièces de Smith, soulevant ainsi des questions informulées qui me troublèrent profondément. Si cet objet était effectivement vieux de plusieurs millénaires, comme le prétendait Wecter, et s'il ne ressemblait à aucun genre de sculpture connu, comment pouvait-il présenter une telle ressemblance avec les créations modernes de Clark Ashton Smith? Etait-ce seulement une coïncidence si les œuvres sorties de l'imagination poétique de Smith s'apparentaient tellement à l'ouvrage d'un inconnu qui avait vécu des milliers d'années plus tôt et qu'il rejoignait ainsi à travers l'espace et le temps?

Mais je ne posai pas ces questions. Si je l'avais jugé bon, la suite des événements aurait peut-être été modifiée. L'enthousiasme et la joie de Wecter me récompensèrent de mon choix. Et une fois la sculpture placée sur une grande tablette parmi les pièces rares, je pris congé de mon ami et oubliai mon cadeau.

Je ne revis pas Jason Wecter avant une quinzaine de jours. Je ne lui aurais sans doute pas rendu visite dès mon retour à Boston si mon attention n'avait pas été attirée par une critique particulièrement sévère sur une exposition des sculptures d'Oscar Bogdoga pour lequel Wecter avait montré deux mois plus tôt beaucoup d'estime. En effet, le jugement de Wecter était de nature à piquer la curiosité de plusieurs amis communs. Il signifiait une nouvelle appréciation de la sculpture de la part de Wecter et promettait un certain nombre de surprises pour les lecteurs qui suivaient régulièrement ses critiques. Cependant une de nos relations communes qui était psychiatre s'inquiétait des curieuses allusions formulées dans le court mais remarquable article de Wecter. Je le lus avec une certaine surprise et je remarquai immédiatement plusieurs affirmations contraires aux habitudes de Wecter. Quand il accusait l'œuvre de Bogdoga de manquer de « Flamme... d'élément dramatique... de spiritualité... », il restait conforme à son personnage. Mais quand il affirmait que l'artiste « n'avait manifestement aucun rapport avec les arts religieux d'Ahapi ou d'Ahmnoïda » et qu'il n'avait pas fait mieux qu'une pâle imitation de « l'école Ponape », il formulait une accusation non seulement curieuse mais complètement déplacée, car Bogdoga était un Slave dont les créations présentaient plus de similitudes avec les sculptures d'Epstein qu'avec l'œuvre de Mestrovic, par exemple, et encore moins avec les primitifs qui enthousiasmaient Wecter et qui manifestement influaient maintenant sur son jugement. L'article de Jason était parsemé d'étranges références à des artistes dont personne n'avait entendu parler, à des lieux éloignés dans le temps et l'espace et qui ne se trouvaient peut-être pas sur la terre, et à une forme de culture qui ne se rattachait à aucune autre connue, même pour le lecteur le plus érudit.

Cependant, sa critique des œuvres de Bogdoga n'était pas tout à fait inattendue car il avait deux jours plus tôt écrit un article sur une nouvelle symphonie de Franz Hoebel, interprétée pour la première fois par le flamboyant et égocentrique Fradelitski. Il l'avait truffé de références à la « musique flûtée des astres » et aux « notes de cornemuse d'origine prédruidique qui firent vibrer l'éther bien avant que l'homme ne portât dans ses mains ou à ses lèvres son premier instrument de musique ». En même temps, il avait encensé un autre morceau du même programme, la symphonie numéro trois d'Harris. Alors qu'il l'avait publiquement méprisée auparavant, il la traitait de « brillant exemple de retour à la musique pré-primitive qui hante toujours la conscience profonde de l'homme, à la musique des Grands Anciens qui ressort malgré la direction si personnelle de Fradelitski ». Celui-ci, en effet, était tellement dépourvu de génie créateur, qu'il devait impérativement introduire dans chaque œuvre qu'il dirigeait suffisamment de « Fradelitski » pour affirmer sa personnalité, même si, ce faisant, il trahissait le compositeur.

Ces deux derniers comptes rendus m'incitèrent à me rendre au plus vite chez Wecter que je trouvai assis à son bureau devant les journaux et un monceau de lettres, sans doute des lettres de protestation.

— Ah, Pinckney ! me lança-t-il d'emblée. Ce sont vraisemblablement mes derniers articles qui vous amènent chez moi.

— Pas tout à fait, bredouillai-je avec embarras. Les critiques n'engagent que vous et vous êtes libre d'affirmer ce que vous voulez, tant que vous restez sincère. Mais qui sont donc Ahapi et Ahmnoida ?

— J'aimerais le savoir.

Il parlait sur un ton si sérieux que je ne doutai pas un instant de sa sincérité.

— Mais ils ont existé, j'en suis sûr, reprit-il. Comme les Grands Anciens semblent avoir occupé une certaine place dans des sciences lointaines.

— Comment pouvez-vous vous référer à eux si vous ne les connaissez pas ?

— Je ne peux pas non plus vous l'expliquer claire-ment, Pinckney, répondit-il avec un froncement de sourcils. Mais je peux essayer.

Sur ces mots il commença un récit peu cohérent des événements qui lui étaient arrivés depuis qu'il possédait la sculpture octopode que j'avais découverte à Port-land. Il n'avait pas passé une seule nuit sans faire de rêve où la créature n'eût été présente soit sous un premier plan, soit à la lisière de son rêve. Il avait rêvé d'endroits souterrains et de cités au fond des mers. Il s'était vu lui-même aux îles Carolines et au Pérou. Il avait marché dans les étonnantes demeures au toit en croupe d'Arkham la maudite, hantée de héros légendaires. A bord de vaisseaux inconnus, il avait atteint les limites des océans. La sculpture, il en était certain, était une reproduction miniature d'une gigantesque créature protoplasmique capable de prendre n'importe quelle forme à sa guise. Elle s'appelait Cthulhu et son domaine était situé à R'lyeh, une cité perdue au fond de l'Atlantique. Cthulhu était un des Grands Anciens supposés revenir un jour des étoiles et des espaces lointains, ou bien des profondeurs sous-marines et des entrailles terrestres pour rétablir sur la terre leur domination passée. Il se montrait accompagné de nains amorphes, presque humains, qui marchaient devant lui en jouant sur d'étranges flûtes une musique qui ne ressemblait à aucune autre. Cette œuvre qui avait été sculptée par des habitants des îles Carolines, avant toute période préhistorique précise, mais après l'apparition de l'homme, était apparemment le « point de contact » avec les dieux inconnus où résidaient les créatures qui attendaient le moment de leur retour.

J'écoutai ce récit avec une totale incrédulité, je dois l'avouer. Wecter s'en aperçut et se levant brusquement il alla chercher la statuette octopode et la déposa sur le bureau. Il la plaça juste devant moi.

— Observez-la attentivement, Pinckney. Voyez-vous un changement quelconque ?

Je l'examinai soigneusement mais j'avouai ne découvrir aucune différence.

— Vous ne trouvez pas que les tentacules du visage sont, disons, plus longs ?

Je lui répondis que non. Mais je ne pouvais pas être catégorique.

Ce genre de question incitait généralement à donner

une réponse affirmative. Les tentacules étaient-ils plus longs? Je ne sus le préciser alors. Je ne saurais le faire aujourd'hui. Mais Wecter, lui, paraissait parfaitement convaincu de leur allongement.

J'examinai à nouveau la sculpture et j'éprouvai aussitôt cette curieuse répulsion qui m'avait gagné quand j'avais remarqué la ressemblance des œuvres de Smith avec cet objet.

— Ça ne vous frappe pas que l'extrémité des tentacules s'est redressée et se trouve un peu plus en avant?

— Non, je l'avoue.

— Très bien.

Il retourna poser la sculpture à sa place sur l'étagère.

En revenant à son bureau il se lança dans de longues explications.

— Je suppose que vous me trouvez l'esprit dérangé, Pinckney, mais depuis que cet objet a pénétré dans cette pièce, j'ai conscience de l'existence d'un monde aux dimensions différentes des nôtres. Je ne vois pas comment le qualifier autrement... Un monde aux dimensions correspondant à celles d'un monde dont j'ai rêvé. Je n'ai par exemple aucun souvenir d'avoir écrit ces articles et pourtant ils sont bien de moi. Je les ai trouvés dans mes notes, écrits de ma main. Bref, c'est moi et personne d'autre qui suis l'auteur de ces lignes. Je ne peux pas publiquement les désavouer bien qu'elles soient en totale contradiction avec les opinions émises sous ma signature depuis des années. Cependant, on ne peut pas leur nier une curieuse impression de logique. Après les avoir découvertes et aussi après avoir lu les lettres de protestation que j'ai reçues à leur sujet, je les ai soigneusement étudiées. Contrairement à mes affirmations passées, l'œuvre de Bogdoga a effectivement un lien avec une forme hybride d'un art primitif des îles Carolines. De même, la troisième symphonie présente effectivement un net et troublant appel au primitif. Nous devons donc nous demander si

110

leur nature offensante pour les amateurs traditionnellement sensibles et cultivés n'est pas une réaction instinctive contre les peuplades primitives aux connaissances naturelles.

« Mais la question n'est pas là, n'est-ce pas Pinckney ? grogna-t-il. Le fait est que la sculpture que vous avez découverte à Portland a exercé sur moi une troublante influence irrationnelle, à un point tel que je me demande parfois si elle est bénéfique ou non.

— Une influence de quelle sorte, Jason ?

Il sourit étrangement.

— Laissez-moi vous dire ce que je ressens. La première nuit où j'en pris conscience fut celle qui suivit votre dernière visite. J'avais organisé une soirée, mais à minuit tous mes invités avaient filé et je m'étais attablé devant ma machine à écrire. J'avais un petit article à rédiger sur un récital de piano donné par un des élèves de Fradelitski et je m'en débarrassai en un rien de temps. Mais j'étais sans cesse préoccupé par votre cadeau. La monstrueuse créature octopode qu'il représentait obsédait mon esprit. C'était étrange, mais je la voyais en même temps sous deux formes ; d'une part, telle qu'elle était en réalité, c'est-à-dire un objet de petite taille et à trois dimensions, d'autre part comme une extension, ou une invasion si vous préférez, dans une dimension différente, dans laquelle je n'existais que comme un élément nécessaire à sa croissance. En bref, quand j'eus terminé mon article j'éprouvai la désagréable impression que la créature avait grandi dans des proportions inimaginables. Pendant d'atroces secondes, je la vis comme un être concret se dresser devant moi tel un colosse auprès de qui je me tenais, ridiculement minuscule. Cela ne dura qu'un moment puis la créature s'évanouit. Remarquez bien que j'ai dit qu'elle s'était évanouie. Elle ne cessa pas seulement d'exister. Elle sembla se comprimer, se rétracter, exactement comme si elle avait été privée de ses nouvelles dimensions pour réintégrer sa forme réelle telle qu'elle devait exister devant mes yeux mais qu'il lui est inutile de prendre pour être perçue psychiquement. Cela s'est répété. Je vous jure que ce ne sont pas des hallucinations bien que je voie à votre expression que vous me croyez devenu fou.

Ce n'était pas à ce point-là, me hâtai-je de le rassurer. Ce qu'il avait dit s'était peut-être réellement passé. Les présomptions, basées sur les faits concrets de ses étranges articles, prouvaient sa sincérité. Jason Wecter était, de plus, persuadé de dire la vérité, ce qui impliquait obligatoirement une raison et une motivation.

— En partant du principe que vous dites la vérité, commençai-je enfin prudemment, il doit y avoir une explication, naturelle ou non. Vous avez peut-être travaillé trop durement, et vous avez été le jouet de votre propre subconscient.

— Sacré Pinckney ! s'exclama-t-il en riant.

— Ou alors, notre explication doit être... surnaturelle.

Son sourire disparut, ses yeux se rétrécirent.

— Vous pensez que c'est possible, n'est-ce pas Pinckney ?

— Oui... je le suppose...

— Bon. C'est ce que j'ai pensé moi aussi après ma troisième expérience. Deux fois j'étais prêt à croire à une hallucination de ma part ; trois fois, non. Les illusions dues à une trop grande fatigue des yeux sont rarement aussi compliquées et détaillées. Elles se limitent à des rats imaginaires, des points noirs ou autres phénomènes du même genre. Donc si cette créature appartient à un culte dont elle est l'objet d'adoration, il n'y a pas à chercher une autre explication. Entre parenthèses, je crois que cette adoration existe dans notre propre monde, mais le secret en est bien gardé. Je reprends maintenant ce que je vous ai déjà dit. Cette sculpture est le point de contact avec un monde d'une autre dimension dans le temps et dans l'espace. Cela étant admis, la créature octopode tente manifestement d'atteindre ce monde à travers moi-même.

— Comment ? demandai-je brusquement.

— Ah ! je ne suis pas un mathématicien ni un scientifique. Je ne suis qu'un critique d'art. Cette conclusion représente la limite de mes connaissances extra-culturelles.

Les hallucinations semblèrent persister. Elles se produisirent de plus en plus fréquemment durant la nuit pendant qu'il dormait et sur un autre plan. Dans son sommeil Wecter accompagnait, sans aucune difficulté, la créature octopode dans un monde de dimensions différentes en dehors du temps et de l'espace. Les hallucinations constantes ne sont pas rares dans les archives médicales. Celles qui se développent progressivement non plus. Mais, dans le cas de Jason Wecter, l'illusion se présentait d'une manière différente car elle s'incrustait lentement au plus profond de son être. Je méditai sur ce sujet une grande partie de la nuit qui suivit, tournant et retournant dans ma tête ce qu'il avait dit sur les Dieux Aînés, les Grands Anciens, les entités mythologiques et leurs adorateurs. Je réfléchissais à cette forme de vie à laquelle s'intéressait Jason et qui avait un effet si troublant sur son comportement.

J'attendis avec une certaine appréhension son article suivant. En raison de ce qu'il écrivit pendant les dix jours qui précédèrent ma nouvelle visite, Jason Wecter fut le sujet de conversation des milieux culturels de Boston et des environs. Contrairement à mon attente, les commentaires ne le blâmaient pas tous, bien que des opinions variées fussent formulées. Ceux qui l'appréciaient autrefois étaient outrés et le condamnaient ; au contraire, ceux qui le méprisaient auparavant prenaient sa défense. Ses critiques des concerts et des expositions, bien que complètement à côté du sujet à mes yeux, n'en étaient pas moins incisives. Son mordant et son esprit satirique étaient toujours présents. Sa finesse de perception n'était pas altérée, sauf dans sa façon d'éprouver des émotions car il les ressentait maintenant dans une perspective différente, totalement opposée à son ancien point de vue. Ses critiques étaient inquiétantes et souvent grossières.

La magnifique et vénérable prima donna, Mme Bursa-Dekoyer, constituait « un énorme monument au goût bourgeois mais qui malheureusement n'y était pas enterré ».

Corydon de Neuvalet, la coqueluche de New York, était « au mieux un aimable imposteur dont les sacrilèges surréalistes sont exposés dans les vitrines des boutiques de la Cinquième Avenue par des commerçants dont les connaissances culturelles sont à peine décelables au microscope, il faut admettre toutefois que son sens des couleurs est supérieur à celui de Vermeer quoique n'égalant pas celui du plus mauvais des Ahapi ».

Les toiles de l'artiste un peu fou Veilain excitaient son imagination extravagante : « Nous sommes en présence d'un homme sachant manier un pinceau et interpréter les couleurs de notre monde. Quand il observe autour de lui, il voit beaucoup plus que la majorité du public qui se penche sur ses toiles. Voilà une perception sincère, libérée de toutes dimensions terrestres et dégagée du carcan des traditions humaines, des sentiments et autres contraintes du même genre. Son appel se place sur un plan qui remonte aux primitifs et s'élève encore plus haut. Il est en relation avec des événements passés et présents qui existent dans des parties limitrophes de l'espace et qui ne sont accessibles qu'aux êtres doués d'une perception extra-sensorielle, ce qui est peut-être la faculté de certaines personnes jugées « malades ».

D'un concert où Fradelitski interprétait son auteur favori, le symphoniste russe Blantanovich, il écrivit un article si cinglant que Fradelitski menaça publiquement de le poursuivre. « La musique de Blantanovich est une expression de cette horrible culture qui suppose que tous les hommes sont politiquement égaux, exception faite bien entendu de ceux qui occupent un haut rang et qui sont, pour citer Orwel, « au-dessus de l'égalité ». Elle ne vaut pas la peine d'être interprétée. Elle ne le serait d'ailleurs pas sans Fradelitski qui se distingue si bien des autres chefs d'orchestre du monde entier car il est le seul qui régresse à chaque concert qu'il conduit. »

Inutile de préciser que le nom de Jason Wecter était sur toutes les lèvres. Mais il fulminait parce que son journal ne pouvait pas publier les lettres qu'il recevait. Il était complimenté, encouragé, critiqué, rejeté des cercles qui auparavant sollicitaient sa présence. Tout le monde parlait de lui. Un jour on le traitait de communiste, l'autre, de farouche réactionnaire. Ces jugements contradictoires semblaient peu lui importer. Il ne sortait plus guère sauf pour assister à quelques concerts comme c'était son devoir et au cours desquels il n'adressait la parole à personne.

On l'aperçut cependant à un autre endroit : au Widener, et plus tard j'appris qu'il s'était rendu par deux fois à la bibliothèque de l'Université miskatonique d'Arkham pour y consulter des livres extrêmement rares.

Telle était la situation quand, la nuit du 15 août, deux jours avant sa disparition, Jason Wecter se présenta à mon appartement dans un état physique tel que j'aurais pu y déceler, au mieux, un dérangement mental temporaire. Son regard paraissait égaré. Ses propos n'avaient ni queue ni tête. Bien qu'il fût près de minuit, la température était très douce. Jason avait assisté à un concert, mais il était parti à la moitié. Il était rentré chez lui étudier certains ouvrages qu'il avait rapportés du Widener. Ensuite, il s'était précipité chez moi en taxi, me surprenant alors que je m'apprêtais à me mettre au lit.

— Pinckney! Grâce au ciel vous êtes là! Je vous ai téléphoné mais je n'obtenais pas de réponse.

— Je viens juste de rentrer. Calmez-vous, Jason. Il y a du scotch et du soda sur la table. Servez-vous.

Il prit un verre et se versa beaucoup plus de scotch que de soda. Il tremblait non seulement des mains mais de tout son corps et il avait les yeux fiévreux, me sembla-t-il. Je posai ma main sur son front, mais il s'écarta rapidement.

— Non, non, je ne suis pas malade. Vous vous rappelez notre conversation au sujet de la sculpture?

— Oui, parfaitement.

— Eh bien! c'est vrai, Pinckney. Tout est vrai. J'ai appris beaucoup de chose. Je pourrais vous parler des événements d'Innsmouth que le gouvernement a dû interdire en 1928 et des explosions qui détruisirent le Récif du Diable, de l'histoire de Limehouse à Londres en 1911 ou encore de la disparition du professeur Shewsbury à Arkham il n'y a pas si longtemps. Il existe encore des sectes adorant des divinités anciennes, ici dans le Massachusetts, je le sais. Il y en a dans le monde entier.

— Rêve ou réalité? demandai-je brusquement.

— Oh, c'est tout ce qu'il y a de plus réel. Croyez bien que je le regrette. Mais j'ai tout de même rêvé. Oh, quels rêves! Croyez-moi, Pinckney, il y a de quoi sombrer dans la folie à l'idée de se réveiller dans notre civilisation et de penser qu'il existe un tel monde aux frontières du nôtre. Ces bâtiments gigantesques! Ces colosses se dressant dans des cieux inconnus! Et le Grand Cthulhu! Quelle merveille et quelle beauté! Quelle horreur et quelle terreur! Quelle destinée inéluctable!

Je m'approchai de lui et le secouai fortement.

Il poussa un profond soupir et resta un moment assis les yeux fermés.

— Vous ne me croyez pas, hein, Pinckney ? reprit-il.

— Je vous écoute. Que je vous croie ou non n'a aucune importance, avouez-le.

— Je voudrais que vous me rendiez un service

— Bien sûr.

— S'il m'arrive quelque chose, débarrassez-vous de la sculpture, inutile de vous la nommer, vous la connaissez. Prenez-la, lestez-la et jetez-la à la mer. De préférence devant Innsmouth si c'est possible.

— Que se passe-t-il, Jason ? Quelqu'un vous a menacé ?

— Non, non. Vous me le promettez ?

— Oui, oui. Comptez sur moi.

— Quoi que vous puissiez entendre ou voir, quoi que vous puissiez vous imaginer entendre ou voir ?

— Si vous voulez.

— Parfait. Renvoyez-la. Il faut la rejeter.

— Mais… Ecoutez-moi, Jason. Je sais que vos articles ont été assez surprenants ces derniers temps. Si quelqu'un s'est mis dans la tête de vous faire payer vos…

— Ne soyez pas ridicule, Pinckney. Il ne s'agit pas de ça. Je vous avais dit que vous ne me croiriez pas. C'est cette créature. De jour en jour elle s'approche de notre dimension. Ne comprenez-vous donc pas, Pinckney ? Elle commence à se matérialiser. Il y a deux nuits, pour la première fois, j'ai… j'ai senti ses tentacules.

Je ne fis aucun commentaire et attendis.

— Je dis la vérité, je vous assure. Je me suis réveillé et j'ai senti ses tentacules froids et humides retirer mes draps. Je les ai sentis me toucher. Vous savez que je dors sans pyjama. Je me suis redressé et j'ai allumé. Elle était là. Je pouvais la voir et la toucher. Mais, déjà, elle rapetissait, se dissolvait, s'évanouissait et disparaissait. Elle était partie, retournée dans son univers.

D'autre part, depuis une semaine ou deux, je suis capable d'entendre certains sons provenant de leur monde. Je perçois, par exemple, une musique flûtée et un atroce sifflement.

A cet instant je compris que mon pauvre ami avait sombré dans la folie.

— Si cette sculpture a un tel effet sur vous, pourquoi ne la détruisez-vous pas ? lui demandai-je.

Il secoua la tête.

— Jamais ! C'est mon seul lien avec l'au-delà. Je vous assure, Pinckney, que tout n'est pas sombre là-bas. D'ailleurs, le mal existe aussi chez nous.

— Vous y croyez et vous n'êtes pas effrayé, Jason ?

Il se pencha vers moi en me fixant de ses yeux brillants.

— Si, souffla-t-il. Si, j'ai atrocement peur, mais je suis fasciné. Pouvez-vous me comprendre ? J'ai perçu une musique venant de l'au-delà. J'ai vu ce monde extraordinaire auprès duquel tout ce qui compose le nôtre paraît terne et triste. Oui, j'ai atrocement peur, Pinckney, mais je ne laisserai pas ma frayeur s'interposer entre nous.

— Entre vous et qui d'autre ?

— *Cthulhu !* lança-t-il.

A cet instant il leva la tête, le regard perdu dans le vague.

— Ecoutez ! dit-il doucement. Est-ce que vous entendez, Pinckney ? La musique ! Quelle merveilleuse musique ! Oh, Grand Cthulhu !

Il se leva et quitta mon appartement, une expression d'extrême béatitude sur son visage ascétique.

Ce fut la dernière fois que je vis Jason Wecter.

Ou du moins...

Jason Wecter disparut le surlendemain ou durant la nuit qui suivit. Des gens l'aperçurent après sa visite à mon appartement, bien qu'il ne leur eût pas adressé la parole, mais personne ne le revit plus, sauf la nuit suivante un voisin qui rentrait tard et qui l'aperçut par la fenêtre de son bureau, assis devant sa machine à écrire et travaillant sans doute, bien qu'aucune trace de manuscrit n'ait été retrouvée et qu'aucun papier n'ait été expédié au journal pour paraître dans ses colonnes. Ses instructions en cas d'accident malencontreux précisaient clairement mon droit à la propriété de la sculpture décrite en détail comme étant un « dieu de la mer : origine Ponape », comme s'il avait voulu cacher l'identité de la créature représentée. Donc, avec l'accord de la police, je repris possession de mon bien et me disposai à faire ce que m'avait demandé Wecter après avoir constaté avec les enquêteurs qu'aucun vêtement de Jason ne manquait. Il semblait s'être levé de son lit et évanoui dans la nature sans porter le moindre vêtement.

Je n'examinai pas particulièrement la sculpture quand je m'en emparai chez Wecter. Je la glissai simplement dans une petite mallette et je l'emportai chez moi. J'avais déjà pris mes dispositions pour me rendre le lendemain matin dans les environs d'Innsmouth et la lancer, dûment lestée, à la mer.

C'est la raison pour laquelle je ne vis qu'au tout dernier moment l'atroce changement qui s'était produit dans la statuette. A vrai dire, je l'avais très peu regardée lorsque je l'avais achetée et apportée à Jason. En revanche, je l'avais examinée avec attention en deux occasions et, en particulier, lorsque Jason Wecter m'avait prié d'observer ces étranges modifications que je n'étais d'ailleurs pas parvenu à déceler. Ces modifications, je les découvris à bord de mon bateau, alors que j'entendais un son comparable à une voix humaine m'appelant d'une distance fantastique, incroyablement lointaine, une voix qui ressemblait à celle de Jason Wecter, à moins que ma nervosité n'eût décuplé mon imagination.

Ce fut quand je sortis de ma mallette l'objet déjà

lesté, alors que je me trouvais très loin au large d'Innsmouth à bord du bateau que j'avais loué pour l'occasion, que je pris conscience pour la première fois de ce son incroyablement lointain qui ressemblait à une voix criant mon nom et qui paraissait provenir d'en bas plutôt que d'en haut. Et ce fut cette particularité, j'en suis certain, qui arrêta mon geste et me fit examiner à nouveau l'objet que je tenais à la main avant de le faire disparaître à tout jamais dans les eaux mouvantes et profondes de l'Atlantique. Mais je suis sûr de ne pas avoir imaginé ce que j'ai vu. Je n'ai pas le moindre doute. Je tenais la statuette de telle façon que je fus obligé de remarquer les flamboyants tentacules de la créature modelée par un artiste inconnu des temps passés. Je fus obligé de voir que l'un des tentacules, précédemment vide, se refermait maintenant sur la minuscule silhouette d'un homme nu, parfaite dans ses moindres détails et dont les traits du visage ascétique m'étaient irrésistiblement familiers, la reproduction réduite d'un homme qui avait existé en fonction de la créature de la statuette, et qui, pour employer les propres mots de Jason Wecter, était nécessaire à sa croissance selon une horrible finalité qui se révélait à moi dans ce bateau. Quand je la lançai de toutes mes forces, il me sembla voir les lèvres de la miniature prononcer les syllabes de mon nom, et, alors qu'elle frappait la surface de l'eau et disparaissait dans les vagues, je crus à nouveau entendre cette voix très lointaine qui ressemblait à celle de Jason Wecter, hurlant mon prénom au milieu d'un horrible gargouillis, mon nom dont seule la première syllabe fut audible, l'autre étant étouffée par les eaux insondables qui entourent le Récif du Diable.

LE PACTE DES SANDWIN

JE sais maintenant que les étranges et terribles événements qui se produisirent à la maison Sandwin commencèrent bien plus tôt que tout le monde ne l'avait cru alors, plus tôt même qu'Eldon ou moi ne l'avions pensé à l'époque. Il n'y avait manifestement aucune raison de penser au début de la maladie d'Asa Sandwin que ses ennuis remontaient à un passé dépassant notre imagination. Ce fut seulement quand l'affaire Sandwin toucha à sa fin que ses terribles révélations se dévoilèrent à nous. La vision de quelque chose d'horrible et de terrifiant se terrant derrière les péripéties de notre vie de tous les jours fut exposée au grand jour et nous eûmes la possibilité de voir brièvement le cœur de cette vie mystérieuse.

La maison Sandwin s'appela d'abord Sandwin-près-de-la-mer, mais sa seconde appellation se révéla rapidement d'un usage beaucoup plus facile. C'était une demeure à l'ancienne mode, aussi vieille que peuvent l'être certaines batisses de la Nouvelle-Angleterre. Elle se trouvait le long de la route d'Innsmouth, non loin d'Arkham. Elle comportait deux étages, un grenier et un sous-sol. Le toit portait de nombreux pignons et les lucarnes éclairaient le grenier. Devant la maison, on trouvait des ormes et des érables. Derrière, seule une haie de lilas séparait la pelouse de la descente abrupte vers la mer car la maison se dressait sur une petite colline en retrait par rapport à l'autoroute. Elle pouvait paraître froide au passant qui la remarquait, mais pour moi elle fourmillait des souvenirs de vacances de mon enfance passée ici avec mon cousin Eldon. C'était un refuge après Boston, un havre de paix après la grande ville surpeuplée. Jusqu'aux curieux événements qui commencèrent à la fin de l'hiver de 1938, je gardai ma première impression de la maison. Et même ce ne fut qu'à la fin de cet étrange hiver que je pris conscience du changement subtil mais évident survenu à la Maison Sandwin qui, du paradis d'un été d'enfant, s'était transformée en un immonde refuge pour une créature diabolique.

Mon premier contact avec ces curieux événements fut tout ce qu'il y a de plus prosaïque. Il se présenta sous la forme d'un coup de téléphone de mon cousin Eldon alors que je m'apprêtais à dîner avec mes collègues de la bibliothèque de l'Université miskatonique d'Arkham au club dont nous étions membres. J'allai répondre au téléphone du salon.

— Dave ? Ici Eldon. Il faut que tu me rendes visite pendant quelques jours.

— J'ai trop de travail pour l'instant, répondis-je. Je tâcherai de m'arranger pour la semaine prochaine.

— Non, non, tout de suite, Dave. Les hiboux huent.

Ce fut tout. Il n'ajouta rien de plus. Je retournai participer une seconde à la chaude discussion dans laquelle j'étais engagé quand était intervenu ce coup de téléphone et j'avais repris le fil de mes arguments lorsque les paroles de mon cousin me frappèrent à retardement, faisant renaître un passé de plus de trente ans. Immédiatement, je m'excusai et rentrai chez moi pour préparer mon voyage. Longtemps auparavant, une trentaine d'années plus tôt, dans cette période insouciante de l'enfance, nous avions conclu un accord formel et secret. Si l'un de nous prononçait une certaine phrase, elle devait être interprétée comme un appel à l'aide. Nous nous l'étions juré. Cette phrase de reconnaissance était : « Les hiboux huent. » Et mon cousin venait de la prononcer.

En moins d'une heure, j'avais trouvé un collègue pour me remplacer à la bibliothèque et je prenais la route en direction d'Arkham, roulant beaucoup plus vite qu'il n'était permis. J'étais, je l'avoue, mi-inquiet, mi-amusé. Ce serment que nous avions prêté était sérieux, bien entendu, mais après tout ce n'était qu'une fantaisie d'enfants. Cependant le fait qu'Eldon eût jugé bon d'utiliser notre phrase code prouvait la gravité des ennuis qui lui arrivaient. Cet appel me paraissait le reflet d'une profonde détresse et non un innocent enfantillage.

La nuit tomba avant mon arrivée à la maison. Il faisait frais. Une mince couche de neige recouvrait le sol, mais l'autoroute était parfaitement dégagée. Sur les derniers miles avant la maison Sandwin, cette autoroute longeait l'Océan et la vue qui s'offrait à moi était magnifique. La lune traçait un large trait argenté sur la mer, le vent agitait doucement la surface de l'eau qui luisait et étincelait, comme éclairée par un feu intérieur. Les arbres, les bâtiments ou les sommets des collines brisaient de temps à autre la ligne de l'horizon mais n'altéraient en aucune façon la beauté du paysage. Et, déjà, c'était la haute stature de la maison Sandwin qui se dressait dans le ciel.

Elle était plongée dans le noir à l'exception d'un mince trait de lumière qu'on décelait sur l'arrière du bâtiment. Eldon y vivait seul avec son père et un vieux domestique. Une femme du village venait une ou deux fois par semaine faire le ménage. Je conduisis ma voiture derrière la maison dans une grange aménagée en garage, coupai le moteur, pris ma valise et me dirigeai vers la vieille demeure.

Eldon m'avait entendu. Je le trouvai dans l'ombre devant la porte entrouverte, son long visage partiellement éclairé par le clair de lune, serrant frileusement sa robe de chambre autour de son grand corps maigre.

— J'étais sûr de pouvoir compter sur toi, Dave, dit-il en me déchargeant de ma valise.

— Que se passe-t-il, Eldon ?

— N'en parlons pas tout de suite, répondit-il nerveusement, comme s'il avait craint d'être entendu. Attends. Je te raconterai tout plus tard. Et ne fais pas de bruit. Ne dérangeons pas mon père pour le moment.

Il me conduisit à travers la maison, me faisant traverser le grand hall avec précaution pour atteindre l'escalier derrière lequel se trouvait sa propre chambre. Je ne pus m'empêcher de remarquer le silence quasi surnaturel qui régnait dans la maison et qui faisait ressortir le grondement de la mer martelant la falaise. L'atmosphère me parut étrangement fantastique, mais je m'efforçai de chasser cette impression.

Une fois parvenu dans sa chambre vivement éclairée, je vis que mon cousin était sérieusement bouleversé malgré ses efforts pour m'accueillir chaleureusement. Ma venue n'allait certainement pas résoudre tous ses problèmes comme par miracle. Il montrait une mine hagarde, des yeux sombres et rougis comme s'il n'avait pas dormi depuis plusieurs jours. Ses mains sans cesse agitées révélaient un excès de nervosité, très fréquent chez les névrotiques.

— Eh bien, maintenant, installe-toi. Fais comme chez toi. Tu as mangé ?

— Suffisamment, oui, le rassurai-je. J'attendis qu'il se décidât à se confier.

Il fit une ou deux fois le tour de sa chambre, ouvrit la porte avec précaution et jeta un coup d'œil à l'extérieur avant de revenir s'asseoir en face de moi.

— Eh bien, il s'agit de mon père, commença-t-il sans préambule. Tu sais que nous avons toujours vécu sans

126

revenus apparents et pourtant nous avons toujours eu de l'argent à notre disposition. Cette situation dure depuis plusieurs générations chez les Sandwin et je ne m'étais jamais bien tourmenté à ce sujet. Dernièrement, toutefois, l'argent a commencé à se faire rare. Mon père dit qu'il devait partir en voyage, et il s'en alla. Il ne voyage pour ainsi dire jamais. A la réflexion, je me rappelai que son dernier voyage remontait à dix ans et avait justement coïncidé avec une période difficile pour nous. Mais quand il était revenu il était de nouveau en possession d'une petite fortune. Je n'avais pas vu mon père partir et je ne l'avais pas vu non plus revenir. Un jour, j'avais constaté qu'il n'était plus là, le lendemain il était de retour, c'est tout. Les choses se sont passées de la même façon cette fois-ci. Et, depuis son retour, il me semble que nous avons de nouveau l'argent nécessaire.

Il secoua la tête, l'air perplexe.

— Je dois reconnaître que pendant plusieurs jours j'ai feuilleté les journaux avec anxiété. Je cherchais l'annonce d'un cambriolage, mais je n'ai rien trouvé.

— Il a peut-être fait une affaire, hasardai-je.

Il secoua la tête.

— Mais ce n'est pas ce qui m'inquiète pour l'instant. J'oublierais même ce problème si je ne pensais pas qu'il fût lié à l'état actuel de mon père.

— Il est malade ?

— Eh bien, oui et non. Il n'est plus lui-même.

— Qu'est-ce que tu veux dire ?

— Ce n'est plus mon père tel que je le connaissais. Je peux difficilement l'expliquer. Et, naturellement je suis anxieux. J'ai pris conscience d'un changement pour la première fois le jour où j'ai appris son retour. Je me tenais derrière la porte de sa chambre quand je l'ai entendu se parler tout seul d'une voix grave et gutturale. « Je les ai bernés », a-t-il répété plusieurs fois. Il a dit autre chose, bien sûr, mais sur le moment, je n'ai pas écouté. J'ai frappé à la porte mais il m'a répondu brutalement en m'ordonnant de retourner dans ma chambre et de le laisser tranquille jusqu'au lendemain. Depuis ce jour il se conduit de plus en plus étrangement, tout en me donnant l'impression d'avoir peur de quelque chose ou de quelqu'un, je ne sais pas. Et il se passe des choses bizarres.

— Quoi, par exemple ? demandai-je sceptique.

— Eh bien, pour commencer... Des boutons de porte humides.

— Des boutons de porte humides ! m'exclamai-je... Il acquiesça gravement.

— La première fois que mon père s'en est aperçu, il nous a convoqués, le vieil Ambrose et moi, pour nous demander lequel de nous avait traîné dans la maison sans s'être essuyé les mains. Nous avons répondu tous les deux par la négative bien entendu. Il nous a renvoyés brusquement et l'incident s'est arrêté là. Mais par la suite nous avons trouvé, de temps en temps, un bouton de porte mouillé et mon père s'est montré de plus en plus effrayé de ces découvertes révélant une sorte d'appréhension que je ne pouvais pas confondre avec autre chose.

— Continue.

— Ensuite, il y a eu des bruits de pas et une musique. Elle paraissait venir du ciel ou des profondeurs de la terre, peut-être. Franchement, je n'en sais rien. Mais il se passe quelque chose ici que je ne comprends pas et dont mon père a manifestement peur. Il sort de sa chambre de moins en moins. Quand il s'y décide, il se conduit comme un homme s'attendant à voir un ennemi lui bondir dessus. Ses yeux guettent les mouvements de la moindre petit ombre et il sursaute à chaque bruit. Il ne me prête plus guère attention à moi, ni à Ambrose ni à la femme de ménage à qui il ne permet plus de nettoyer sa chambre, préférant s'en charger tout seul.

A la suite des paroles de mon cousin, j'étais plus inquiet pour lui que pour mon oncle. En terminant son récit, Eldon avait l'air profondément bouleversé. Je ne pus traiter son histoire avec la légèreté que j'étais enclin à manifester, ni avec la gravité à laquelle mon cousin s'attendait. Je feignis pour l'instant un intérêt poli.

— Je suppose que l'oncle Asa est encore debout, dis-je. Il sera surpris de me trouver ici et tu ne veux sans doute pas qu'il sache que tu m'as appelé. Alors il vaudrait peut-être mieux que nous allions le voir tout de suite.

Mon oncle Asa était tout le contraire de son fils. Alors qu'Eldon, était grand et mince, Asa était petit et fort, musclé plutôt que gras, avec un cou très large et un visage curieusement antipathique. Il avait un tout petit front. Des cheveux noirs et épais prenaient naissance un pouce à peine au-dessus des sourcils broussailleux tandis qu'un collier de barbe courait d'une oreille à l'autre, bien qu'il ne portât pas de moustache. Un nez petit, presque inexistant, contrastait avec des yeux si anormalement grands que leur découverte faisait tressaillir les interlocuteurs de mon oncle. Cette taille anormale était accentuée par des lunettes aux verres épais qui augmentaient encore leur proéminence car au cours des dernières années, sa vue était devenue pogressivement si faible qu'il lui était nécessaire de consulter un oculiste tous les six mois. Sa bouche, enfin, était singulièrement large et mince. Il n'avait pas de lèvres épaisses comme on aurait pu s'y attendre chez un homme si trapu et si lourd, mais la largeur de sa bouche était réellement surprenante, au moins cinq pouces, de telle sorte qu'avec son mince collier de barbe et son cou épais et court, sa bouche semblait être la ligne de séparation entre sa tête et son torse. Il présentait une curieuse ressemblance avec un batracien et déjà dans notre enfance nous l'avions surnommé « la grenouille », car à cette époque son faciès faisait immanquablement penser aux créatures que nous capturions dans les prés et les marais qui s'étendaient au-delà de l'autoroute, à l'intérieur des terres par rapport à Sandwin House.

Quand nous entrâmes dans son bureau situé en haut de l'escalier, l'oncle Asa était penché sur des documents, voûté dans une attitude tout à fait naturelle. Il se retourna brusquement, les yeux mi-clos, la bouche entrouverte. Mais presque aussitôt la frayeur disparut de son visage. Il sourit affablement, se leva et, la main tendue, se dirigea vers moi.

— Ah ! bonsoir, David. Je ne pensais pas te voir avant Pâques.

— J'ai pu me libérer, répondis-je. Alors je suis venu. Et je n'avais plus reçu de vos nouvelles depuis longtemps.

Le vieil homme lança un rapide coup d'œil à son fils et je ne pus m'empêcher de penser que, alors que mon cousin accusait plus que son âge, mon oncle ne paraissait certainement pas ses soixante et quelques années. Il nous pria de nous asseoir. Et il engagea immédiatement la conversation sur les problèmes de politique étrangère, un sujet sur lequel je le trouvai étonnamment bien informé. Sa décontraction et son aisance effacèrent rapidement l'impression que m'avait donnée Eldon. J'étais même sur le point de suspecter mon cousin de souffrir de graves troubles mentaux quand j'eus soudain la confirmation de ses soupçons. Au milieu d'une phrase sur les minorités européennes, mon oncle s'arrêta brusquement, la tête penchée sur le côté comme s'il écoutait quelque chose, tandis qu'une expression de peur panique se lisait sur son visage. Il paraissait nous avoir complètement oubliés. Il était si absorbé qu'il semblait ignorer complètement notre présence.

Il resta ainsi près de trois minutes, pendant lesquelles ni Eldon ni moi n'osâmes faire le moindre bruit ni le moindre geste, si ce n'est pencher quelque peu notre tête dans l'espoir d'entendre ce qu'il écoutait. A cet instant nous n'en avions aucune idée.

Dehors, le vent s'était levé, tandis que la mer murmurait et grondait le long de la côte. Au milieu de ce bruit s'éleva le chant d'un quelconque oiseau nocturne, une sorte d'ululement bizarre qui ne m'était pas familier, et surmontant tout, dans les mansardes de la maison, une sorte de sifflement constant comme si le vent soufflait à travers un orifice resserré.

Pendant ces quelques minutes donc, aucun d'entre nous ne parla ni ne bougea. Puis, soudain, le visage de mon oncle se tordit de rage. Il bondit sur ses pieds, se rua vers une fenêtre ouverte sur la mer et la ferma avec une telle violence que je m'attendis à voir les carreaux voler en éclats. Mais ils supportèrent le choc. Pendant quelques instants il resta à bougonner en lui-même. Puis il se retourna et se dirigea vers nous l'air calme et affable comme s'il ne s'était rien passé.

— Eh bien, bonsoir mes enfants. J'ai beaucoup de travail à terminer. Mets-toi à ton aise, Dave. Tu es ici chez toi, tu le sais.

Il me serra à nouveau la main, un peu trop cérémonieusement, et nous le quittâmes.

Eldon ne dit rien avant notre retour dans sa chambre. Là je vis qu'il tremblait. Il se laissa tomber sur une chaise et se prit la tête entre les mains.

— Tu vois, murmura-t-il. Je t'avais prévenu. Et encore, ce n'est rien.

— Je ne crois pas qu'il faille t'inquiéter à ce point, répondis-je d'un ton qui se voulait rassurant. Tout d'abord j'ai l'habitude des gens qui suivent leur propre rêverie tout en participant à une conversation et qui cessent soudainement de parler quand une de leurs idées les frappe avec force. Pour l'épisode de la fenêtre... J'avoue n'avoir aucune explication, mais...

— Oh, ce n'est pas mon père, me coupa brusquement Eldon. C'est ce cri, cet appel de l'extérieur, cette lamentation.

— J'ai pensé à un... oiseau, hasardai-je lamentablement.

— Aucun oiseau ne fait ce bruit-là, voyons. Et les migrations n'ont pas encore commencé, sauf en ce qui concerne les mésanges et les rouges-gorges. C'est ce bruit, crois-moi Dave. Quelle que soit la créature qui émet ce son, elle parle à mon père.

Pendant un instant, je fus trop surpris pour répondre, non seulement parce que la sincérité de mon cousin était évidente mais aussi parce que mon oncle s'était effectivement conduit comme si on lui avait parlé. Je me levai et marchai de long en large dans la chambre, jetant de temps en temps un coup d'œil à Eldon. Mais mon cousin n'attendait manifestement aucune approbation de ma part. Alors, j'allai m'asseoir près de lui.

— En supposant que cela soit vrai, Eldon, qu'est-ce qui peut parler à ton père ?

— Je n'en sais rien. J'ai entendu ça pour la première fois il y a maintenant un mois. Ce jour-là mon père était vraiment effrayé. Je l'ai entendu à nouveau peu de temps après. J'ai tenté de découvrir son origine, mais j'ai été incapable de trouver quoi que ce soit. La deuxième fois le son semblait provenir de la mer, comme ce soir. Certains jours, j'étais prêt à jurer qu'il provenait du haut de la maison mais à d'autres moments j'étais certain de l'entendre sous la villa. Peu de temps après, j'ai perçu une musique. Une musique étrange, belle et diabolique à la fois. J'ai pensé l'avoir imaginée. En effet, elle accompagnait chaque fois des rêves mystérieux et fantastiques. Des rêves qui m'entraînaient dans des lieux très éloignés de la terre et pourtant reliés à elle par un fil démoniaque. Je suis incapable de te les décrire avec la moindre précision. En même temps, j'ai pris conscience de bruits de pas et je te jure qu'ils flottaient dans l'air, bien qu'en d'autres occasions semblables, ils m'aient paru provenir de sous la terre. Ce n'était pas les bruits des pas d'un homme mais d'une créature bien plus grande. C'est approximativement à cette époque que nous avons commencé à trouver des boutons de porte humides, tandis que régnait dans la maison une étrange odeur de poisson, une odeur qui devenait plus forte près de la porte de la chambre de mon père.

En temps ordinaire, j'aurais mis le récit de mon cousin sur le compte d'une maladie inconnue de nous deux, mais, pour dire la vérité, un ou deux détails qu'il venait de préciser avaient fait vibrer une corde au fond de ma mémoire, en même temps qu'ils jetaient un pont inimaginable entre le présent prosaïque et les temps passés dont j'avais appris à étudier certains aspects diaboliques. Aussi je ne dis rien et tentai de retrouver quels souvenirs gisaient dans le tréfonds de ma mémoire, mais je n'y parvins pas, bien que je reconnusse un rapport entre le récit d'Eldon et certains comptes rendus fantastiques reproduits dans les ouvrages interdits de la bibliothèque de l'Université miskatonique.

— Tu ne me crois pas ? m'accusa-t-il tout à coup.

— Pour l'instant je préfère ne pas prendre position, répondis-je calmement. Allons dormir.

— Mais il faut que tu me croies, Dave ! Sinon je n'ai plus qu'à me faire interner dans une maison de fous.

— Il ne s'agit pas de savoir si je te crois, mais si tout cela existe réellement. Nous verrons plus tard. Avant d'aller nous coucher, réponds à cette question : est-ce que tu es le seul à avoir remarqué ces événements ou est-ce qu'Ambrose en a été aussi le témoin ?

Eldon acquiesça rapidement.

— Mais bien sûr que oui ! Il a voulu s'en aller, mais nous sommes parvenus à l'en dissuader, pour l'instant.

— Alors tu n'as pas à t'inquiéter pour ta santé, le rassurai-je. Et maintenant au lit.

Comme toujours, quand je résidais chez les Sandwin, j'occupais la chambre contiguë à celle d'Eldon. Je lui souhaitai bonsoir, traversai le couloir plongé dans l'obscurité et entrai dans ma chambre en songeant avec quelque inquiétude à mon cousin. C'est sans doute pour cette raison que je ne m'aperçus pas tout de suite de l'humidité de ma main. Je la remarquai seulement en me disposant à enlever ma veste. Je restai un moment à regarder ma paume luisante avant de me souvenir de l'histoire d'Eldon. Je me précipitai à la porte et l'ouvris. Le bouton de porte extérieur était humide. Non seulement il était humide mais, de plus, il dégageait une forte odeur fadasse, l'odeur de poisson dont m'avait parlé mon cousin. Un peu plus tard, je refermai la porte et m'essuyai les mains, passablement troublé. Quelqu'un, dans la maison, tentait-il de rendre fou Eldon ? Il y avait peu de chance. Ambrose n'avait certainement rien à y gagner et je n'avais jamais eu vent d'une animosité particulière entre l'oncle Asa et son fils. Or personne d'autre ne pouvait être l'auteur de cette campagne de frayeur.

Je me mis au lit, toujours troublé, et tentai de jeter un pont entre le passé et le présent. Que s'était-il produit à Innsmouth une dizaine d'années plus tôt ? Quel secret gisait dans les manuscrits et les livres interdits de la bibliothèque de l'Université ? Je savais qu'il me fallait les étudier. Je pris la décision de retourner à Arkham le plus vite possible. Je m'endormis en cherchant toujours une explication plausible aux événements de la soirée.

J'hésite à relater ce qui arriva peu après durant mon sommeil. L'esprit humain fait difficilement la part du vrai et du faux dans les quelques secondes qui suivent le réveil quand l'acuité mentale est émoussée par la paresse résultant du sommeil. Mais à la clarté des événements qui suivirent, le rêve de cette nuit-là prit une précision et une réalité que je n'aurais jamais cru possibles dans cet étrange univers du sommeil. Je rêvai en effet d'un grand et vaste plateau au milieu d'une étendue de sable qui présentait quelques ressemblances avec les hauts plateaux du Tibet ou de la région du Honan que j'avais visitée autrefois. En ces lieux, le vent soufflait éternellement et une merveilleuse musique résonnait sans interruption à mes oreilles. Pourtant, cette musique n'était pas pure. Elle recelait quelque chose de diabolique, avec des notes sinistres qui semblaient annoncer de dures épreuves comme certaines notes de la *Cinquième Symphonie* de Beethoven. La musique émanait d'un groupe de bâtiments situés sur une île au milieu d'un lac noir. Tout était tranquille. Des silhouettes se tenaient immobiles. Des silhouettes d'êtres au visage étrange qui s'apparentaient quelque peu à des Asiatiques et devaient jouer le rôle de gardes.

Durant tout mon rêve, j'eus l'impression d'évoluer au gré du vent au-dessus de ce pays, un vent qui ne cessait jamais. Je ne saurais dire combien de temps je restai là-bas car mon rêve semblait sans fin. Ensuite, je m'éloignai de cet endroit. Le vent me transporta au-dessus des mers où j'aperçus une autre île sur laquelle s'élevaient d'autres bâtiments et autant de statues entourées d'étranges créatures, dont certaines ressemblaient à des êtres humains tandis que retentissait toujours cette même musique immortelle. Mais cette fois avec la musique me parvint autre chose, la voix de la créature qui s'était adressée quelque temps auparavant à mon oncle Asa. Je reconnus cette même mystérieuse lamentation qui montait des profondeurs d'une bâtisse dont les parties souterraines devaient être envahies par la mer. Pendant un bref instant, j'observai cette île et, au fond de moi-même, je devinai son nom moderne : l'île de Pâques. Puis je m'en éloignai, emporté par le vent au-dessus des étendues glacées du Grand Nord où j'aperçus un village indien dont les habitants adoraient des idoles de neige. Partout le vent soufflait sans discontinuer... Partout s'élevaient cette musique et cette horrible voix comme formant un prologue à la terreur, un signe avant-coureur des événements atroces et diaboliques qui n'allaient pas tarder à se produire, partout cette voix de l'horreur se cachait derrière la merveilleuse musique surnaturelle.

Je me réveillai peu après, incroyablement fatigué, et restai les yeux grands ouverts dans l'obscurité. J'émergeai de ma somnolence et lentement je devins conscient d'un changement dans ma chambre. L'air était lourd et chargé de l'odeur de poisson dont m'avait parlé Eldon. Presque au même moment, je perçus des bruits de pas qui s'éloignaient alors que s'atténuaient progressivement les lamentations que j'avais entendues en rêve et dans la chambre de mon oncle. Je sautai du lit et me précipitai à la fenêtre pour scruter l'obscurité. Je ne découvris rien si ce n'est que ces bruits provenaient des profondeurs de l'Océan. Je retraversai ma chambre et sortis dans le couloir. L'odeur de poisson y était encore plus forte que dans ma chambre. Je frappai doucement à la porte d'Eldon et, ne recevant aucune réponse, entrai sans plus attendre.

Il était couché sur le dos, les bras étendus et les doigts crispés. Il était manifestement endormi, et pourtant je crus tout d'abord le contraire en l'entendant marmonner doucement entre ses dents. Je tendis la main pour le secouer, mais j'arrêtai mon geste et écoutai. Il parlait à voix trop basse pour me permettre de comprendre ce qu'il disait mais je pus déceler quelques mots qu'il prononça un peu plus fort que les autres : « Lloigor-Ithaqua-Cthulhu ». Je l'entendis répéter plusieurs fois ces noms avant de me décider à le saisir par l'épaule et à le secouer. Il ne se réveilla pas tout de suite, mais il reprit conscience lentement avec difficulté. Il lui fallut un certain temps pour s'apercevoir de ma présence, mais dès qu'il m'eut reconnu, il redevint lui-même. Il se redressa, remarquant en même temps l'odeur de poisson qui régnait dans la pièce et les bruits qui nous parvenaient des profondeurs mystérieuses du monde.

— Ah ! tu vois, me dit-il, comme si c'était toute la confirmation dont j'avais besoin.

Il sauta du lit et se dirigea vers la fenêtre. Il regarda au-dehors.

— Est-ce que tu as rêvé ? demandai-je.

— Oui et toi ?

Nous avions fait à peu près le même rêve. Pendant son récit de ce véritable cauchemar, je crus déceler des bruits à l'étage inférieur. Des bruits furtifs, pesants, visqueux comme si quelque chose de mouillé frappait le sol. Au même instant les lamentations au-delà de la maison se turent et le bruit de pas s'interrompit. Mais il régnait à présent dans la vieille maison une telle atmosphère de menace et d'horreur que l'arrêt de ces bruits ne suffit même pas à calmer nos esprits.

— Allons parler à ton père, suggérai-je brusquement.

Il parut effaré.

— Oh ! non, il ne faut pas le déranger. Il a donné des ordres.

Mais je n'avais pas l'intention de me laisser intimider. Je quittai seul la chambre et gravis les escaliers quatre à quatre. Je m'arrêtai devant la porte de la chambre de mon oncle et frappai avec force. Je ne reçus aucune réponse. Je m'accroupis et regardai à l'intérieur par le trou de la serrure, mais je ne pus rien voir. Tout était sombre. Cependant, il y avait manifestement quelqu'un, car j'entendais de temps en temps des voix. Je reconnus clairement celle de mon oncle. Mais elle était étrangement rauque et gutturale, comme si elle avait subi une modification essentielle. Quant à l'autre, elle ne ressemblait à rien que j'eusse jamais entendu : un son de gorge profond, une espèce de croassement, dur et menaçant. Mon oncle était parfaitement intelligible alors que son interlocuteur était incompréhensible.

J'écoutai attentivement. Je perçus d'abord la voix de mon oncle.

— Non, je refuse !

Le charabia incroyable de la créature qui se trouvait avec lui me parvint à travers la porte.

« Iä ! Iä ! Shub-Niggurath ! » Il y eut une succession rapide d'onomatopées, comme si cet interlocuteur était dans une violente colère.

— Cthulhu ne m'entraînera pas dans la mer. J'ai bouché le passage.

La voix rageuse répondit à mon oncle qui cependant ne semblait pas effrayé, malgré le changement significatif du ton de sa voix.

— Ithaqua ne pourra rien non plus avec le vent. Je saurai l'affronter lui aussi.

Le visiteur de mon oncle lança un seul mot : « Lloigor ! »

Il n'y eut aucune réponse d'Asa.

J'étais conscient d'une obscure menace, en marge de l'atmosphère de terreur qui s'infiltrait dans la maison. Je venais en effet de reconnaître dans les paroles de mon oncle les mots prononcés un peu plus tôt par Eldon dans son sommeil. Je devinai qu'une influence diabolique régnait dans la vieille demeure. Des souvenirs commençaient à émerger du fond de ma mémoire, souvenirs d'étranges récits qui me revenaient après des années, de l'époque où j'avais fouillé les livres interdits de l'Université miskatonique : incroyables et fantastiques révélations sur des Anciennes Divinités, sur des êtres diaboliques qui auraient vécu bien avant les hommes. Je commençai à réfléchir aux terribles secrets renfermés dans les *Manuscrits Pnakotiques* ou le *Texte de R'lyeh*. Je pensai aux histoires vagues et suggestives de créatures trop horribles pour être contemplées dans notre petite vie quotidienne. Je tentai de me défaire du carcan de peur qui m'étreignait lentement mais il y avait quelque chose dans l'atmosphère même de la maison qui rendait mes efforts inutiles. Heureusement, l'arrivée d'Eldon produisit ce que j'étais incapable de faire.

Il avait gravi les escaliers et se tenait derrière moi en attendant que je fisse le premier geste. Je m'approchai de lui et lui racontai ce que je venais d'entendre. Ensuite nous écoutâmes tous les deux. La conversation avait cessé. Nous n'entendîmes qu'un inintelligible murmure accompagné d'un bruit de pas. Ou plutôt de sons qui par leurs intervalles pouvaient être assimilés à une marche, des sons qui n'étaient pas provoqués par des pieds humains mais par une créature qui, à chaque enjambée, paraissait marcher dans un marécage. D'autre part, la vieille bâtisse était agitée d'un étrange tremblement surnaturel. Ce tremblement restait d'une intensité constante sans croître ni décroître. Il ne cessa qu'avec la disparition des bruits de pas, paraissant s'éloigner puis disparaître.

Pendant tout ce temps, nous ne fîmes pas le moindre bruit. Quand les pas traversèrent la pièce et semblèrent s'éloigner dans l'espace, au-delà de la maison, Eldon retint sa respiration si longtemps que j'entendis battre son sang sur ses tempes.

— Mon Dieu ! s'exclama-t-il enfin. Qu'est-ce que c'est ?

Je ne savais pas quoi répondre, mais j'avais commencé d'élaborer un semblant d'explication quand la porte s'ouvrit avec une brusquerie qui nous laissa sans voix.

Mon oncle se tenait sur le seuil de sa chambre. De chaque coin de la pièce se dégageait une irrésistible odeur de poisson ou de grenouille, une épaisse puanteur d'eau stagnante si prenante qu'elle me donna presque la nausée.

— Je vous ai entendus, dit lentement mon oncle. Entrez !

Il s'écarta et nous pénétrâmes dans sa chambre.

Eldon ne pouvait s'empêcher de manifester une certaine répulsion. Les fenêtres qui donnaient sur la mer étaient largement ouvertes. Tout d'abord la faible lampe de la pièce ne révéla aucun détail, car elle semblait luire à travers un véritable brouillard, mais il nous parut manifeste que « quelque chose » de mouillé s'était trouvé là avant notre arrivée, « quelque chose » qui avait dégagé une énorme quantité de vapeur qui avait imprégné toute la pièce, car les murs, le plancher, les meubles, tout était recouvert d'une couche d'humidité, tandis que, ici et là, de petites flaques d'eau marquaient le sol. Mon oncle ne semblait pas les remarquer. Il y était peut-être habitué et n'y prêtait pas attention. Il s'assit dans son fauteuil et nous observa, nous indiquant les deux sièges en face de lui. La vapeur commençait insensiblement à se dissiper et le visage d'Asa m'apparut plus nettement. Il avait la tête plus enfoncée que jamais dans les épaules. Il n'avait pour ainsi dire plus de front et gardait les yeux mi-clos, de telle sorte que sa ressemblance avec les grenouilles de notre enfance était plus marquée que jamais. Une grotesque caricature, horrible dans ses implications. Nous nous assîmes après une légère hésitation.

— Avez-vous entendu quelque chose ? demanda-t-il. Mais il poursuivit sans attendre notre réponse :

« Oui, je suppose. J'ai déjà plusieurs fois songé à te le dire, Eldon, et, maintenant... Il nous reste peut-être suffisamment de temps... Mais je peux les surprendre, je peux leur échapper... »

Il ouvrit les yeux et regarda mon cousin. Il ne semblait pas s'apercevoir de ma présence. Eldon se pencha l'air inquiet. Le vieil homme était manifestement troublé. Il n'était pas lui-même. Il était présent, mais son esprit vagabondait ailleurs dans quelques lieux lointains.

— Le pacte de Sandwin doit être rompu, dit-il d'une voix gutturale qui s'apparentait à celle que j'avais

140

entendue peu de temps auparavant dans cette même pièce. Tu t'en souviendras. Aucun autre Sandwin ne doit servir d'esclave à ces créatures. Tu ne t'es jamais demandé d'où nous tirons nos revenus, Eldon ?

— Mais si... souvent, répondit Eldon avec difficulté.

— Eh bien cela dure depuis trois générations. Il y a eu mon père et mon grand-père avant moi. Mon grand-père livra mon père et celui-ci en fit autant pour moi. Mais je ne te ferai jamais ça, Eldon, n'aie pas peur. Il faut en finir. Bien entendu, ils ne me laisseront pas tranquille, comme mon grand-père et mon père, ils m'emmèneront sans attendre. Mais tu seras libre, Eldon, tu seras libre.

— Mais qu'est-ce qu'il y a ? Que se passe-t-il ?

Il ne sembla pas entendre.

— Ne conclus aucun pacte avec eux, Eldon. Evite-les. Fuis-les. Leur héritage est diabolique, à un point que tu ne soupçonnes pas. Il y a des choses qu'il vaut mieux que tu ignores.

— Mais qui était là, père ?

— Leur serviteur. Il ne m'a pas effrayé. Je n'ai pas peur non plus de Cthulhu, ou d'Ithaqua, avec qui j'ai longuement survolé la terre, l'Egypte et Samarkand, les grandes étendues blanches, Hawaï et le Pacifique. Par contre, je crains Lloigor, qui est capable de changer la nature d'un homme... Lloigor et son frère jumeau, Zhar, et l'horrible peuple Tcho-Tcho qui les sert sur les hauts plateaux du Tibet. Lui...

Il s'arrêta un instant et frissonna.

— Ils m'ont menacé de l'envoyer. Laissons-le donc venir, lança-t-il finalement après un profond soupir. Qu'il vienne donc...

Mon cousin ne fit pas de commentaire, mais son visage exprimait clairement son inquiétude.

— Quel est ce pacte, oncle Asa ? demandai-je.

— Et tu dois te rappeler, poursuivit-il en ignorant ma question, que le cercueil de ton grand-père avait été soigneusement et rapidement scellé, et combien il était léger. Il n'y a rien dans sa tombe à part le cercueil et il en est de même pour la tombe de ton arrière-grand-père. Ils les ont emportés, ils les tiennent, ils leur ont donné une vie surnaturelle, une vie sans âme, en échange de la subsistance qu'ils nous ont assurée, du petit revenu qu'ils nous ont fourni et du hideux secret qu'ils nous ont révélé. Tout remonte, je crois, à Innsmouth. Mon grand-père y rencontra quelqu'un. Quelqu'un qui « appartenait » aux créatures qui comme des grenouilles sortent de l'eau.

Il frissonna et lança un rapide coup d'œil à la fenêtre donnant sur la mer. Un rideau de brouillard blanchâtre cachait l'horizon, et la mer venait battre le pied de la falaise dans un grondement sourd.

Mon cousin était sur le point de rompre le silence qui s'épaississait quand l'oncle Asa se retourna vers nous et nous dit brièvement :

— Ça suffit, maintenant. Laissez-moi.

Eldon protesta, mais mon oncle resta ferme. A ce moment j'avais besoin de plusieurs éclaircissements. Il me fallait lire les histoires dont j'avais entendu parler au sujet d'Innsmouth, l'affaire Tuttle à Aylesbury road, les étranges révélations contenues dans les ouvrages interdits de la bibliothèque de l'Université : les *Manuscrits Pnakotiques*, le *Livre d'Eibon*, le *Texte de R'lyeh* et le plus grand de tous, le diabolique *Necronomicon* du démoniaque Abdul Alhazred. Tous ces récits ressuscitèrent les souvenirs oubliés des puissants Anciens, ces êtres d'un autre âge, ces divinités qui autrefois habitèrent non seulement la terre mais l'univers tout entier. Elles étaient divisées en Dieux du bien et en Dieux du mal. Ces derniers, aujourd'hui en captivité, étaient cependant supérieurs en nombre sinon en puissance. Les plus vieux de tous, les Grands Anciens, les Dieux Aînés, les forces du bien, ne portaient pas de nom. Mais d'horribles noms inquiétants identifiaient les autres. Il y avait Cthulhu, le dieu des forces de l'eau ; Hastur, Ithaqua, Lloigor, les dieux de l'air ; Yog-Sothoth et Tsathoggua, les dieux de la terre. Je compris donc que trois générations de Sandwin avaient conclu un monstrueux pacte avec ces êtres, un pacte dans lequel les hommes offraient leur corps et leur âme en échange d'une grande intelligence et d'une sécurité financière durant toute la vie terrestre des Sandwin. L'aspect le plus ignoble de cet accord était la promesse implicite de livrer la génération suivante. Mon oncle s'était enfin rebellé et il en attendait maintenant les conséquences.

Une fois dans le couloir, Eldon m'arrêta et mit la main sur mon épaule.

— Je ne comprends pas, dit-il.

Je lui serrai amicalement le bras.

— Moi non plus, Eldon. Mais je crois avoir une idée. Il faut que je retourne à la bibliothèque pour la vérifier.

— Tu ne vas pas partir maintenant ?

— Non, mais s'il ne se passe rien d'ici un jour ou deux, je filerai… Je reviendrai plus tard.

Nous restâmes plus d'une heure dans la chambre d'Eldon à parler des ennuis de mon oncle et à guetter le moindre bruit d'une activité quelconque au-dessus de nous. Mais rien ne se produisit. Je retournai me coucher, presque aussi troublé par l'absence de ces étranges sons et de cette curieuse odeur que je l'avais été par leur première manifestation.

Le reste de la nuit se passa sans nouvel incident. Il en fut de même le lendemain au cours duquel l'oncle Asa ne quitta pas sa chambre. La nuit suivante fut elle aussi très calme. Je repartis alors pour Arkham, saluant ses toits en croupe et ses balustrades géorgiennes comme le visage même d'un foyer paisible.

Je retournai deux semaines plus tard chez les Sandwin, mais il ne s'était rien passé depuis mon départ. Je vis brièvement mon oncle et fus surpris du changement qui s'était opéré en lui. Il ressemblait de plus en plus à un batracien et son corps paraissait s'être rapetissé. Il tenta de me cacher ses mains, pas assez vite pour m'empêcher de déceler une transformation assez singulière. La peau avait curieusement poussé entre ses doigts, mais je n'en compris pas la signification sur le moment. Je lui demandai s'il avait reçu depuis quinze jours d'autres nouvelles des visiteurs de cette fameuse nuit.

— J'attends Lloigor, dit-il doucement, les yeux rivés sur la fenêtre donnant sur la mer et la bouche tordue par un vilain rictus.

Entre-temps, j'avais étudié les horribles secrets des Dieux Aînés et des êtres diaboliques qui avaient été bannis autrefois de la surface terrestre et parqués dans des endroits maudits : les étendues arctiques, les déserts, le redoutable plateau de Leng au cœur de l'Asie, le lac d'Hali, les vastes cavernes inconnues du fond des mers. J'en avais assez appris pour être convaincu de la réalité de l'atroce pacte de mon oncle. Son corps et son âme seraient après leur vie terrestre au service de la progéniture de Cthulhu et de Lloigor au milieu du peuple Tcho-Tcho au fin fond du Tibet. Ils devraient les aider pendant l'éternité dans leur lutte contre la domination des Dieux Aînés et dans leur combat pour se dresser à nouveau et répandre l'horreur sur la terre.

Que le père et le grand-père de mon oncle fussent actuellement à leur service dans quelque repaire éloigné ne faisait pas le moindre doute pour moi. L'évidence de leur activité diabolique se manifestait autour de moi, non seulement par des faits tangibles mais par l'invraisemblable atmosphère de terreur qui enveloppait la maison. A cette deuxième visite, je trouvai mon cousin quelque peu rassuré, mais redoutant toujours une catastrophe imminente. Je ne pus lui apporter aucun espoir. Je me sentis même obligé de lui révéler les secrets que j'avais appris dans les vieux ouvrages de la bibliothèque de l'Université miskatonique.

Au cours de la nuit qui précéda mon départ, alors que nous étions assis dans la chambre d'Eldon, attendant, avec une certaine inquiétude, nous ne savions quel événement, la porte s'ouvrit brusquement et mon oncle apparut. Il semblait d'une gaieté assez inhabituelle chez lui. Maintenant que je le voyais debout, il me paraissait encore plus petit que je ne l'avais d'abord cru, tandis que ses vêtements bâillaient sur lui.

— Eldon, pourquoi n'irais-tu pas à Arkham avec David, demain ? attaqua-t-il sans préambule. Un petit changement te fera du bien.

— Oui, j'en serais ravi, dis-je aussitôt.

Eldon secoua la tête.

— Non, je reste pour veiller à ce qu'il ne t'arrive rien.

L'oncle Asa ricana avec sécheresse et aussi un peu de mépris comme s'il voulait décourager Eldon de tenter quoi que ce fût. Son attitude n'était peut-être pas compréhensible pour Eldon, mais elle était suffisamment explicite pour moi. J'en connaissais plus que lui sur le pouvoir de l'être diabolique avec qui mon oncle s'était lié.

Mon oncle bougonna.

— Bien. Tu es en sécurité, en tout cas. Sauf si tu meurs de peur.

— Vous pensez qu'il va bientôt se produire quelque chose ? demandai-je.

Le vieil homme me jeta un regard inquisiteur.

— Il est clair que toi tu le penses, Dave, dit-il pensivement. J'attends Lloigor, oui. Si je suis capable de lui résister, alors je serai libéré. Sinon...

Il haussa les épaules et ajouta :

— De toute façon cette maison sera délivrée de cette atmosphère diabolique qui l'imprègne depuis si longtemps.

— Quand doit se produire cette visite ? demandai-je.

Son regard ne se modifia pas, mais ses yeux se rétrécirent quelque peu.

— A la pleine lune, je crois. Si mes déductions sont correctes, Arcturus doit en même temps être haut sur l'horizon pour que Lloigor puisse venir, porté par son vent cosmique. Etant un élément du vent il ne peut se déplacer qu'avec le vent. Mais je l'attendrai.

Il haussa de nouveau les épaules comme s'il s'agissait d'un événement de seconde importance et non de la plus grave menace pour sa vie.

— Très bien, Eldon, tu feras comme tu voudras.

Il quitta la pièce et Eldon se tourna vers moi.

— Ne peut-on pas l'aider à affronter ce danger, Dave ? Il doit bien y avoir un moyen.

— S'il y en a un, ton père le connaît.

Il hésita pendant une longue minute avant d'aborder un sujet qui le préoccupait manifestement depuis un certain temps.

— Est-ce que tu as remarqué l'aspect physique de mon père ? Combien il a changé ? On dirait de plus en plus une grenouille, ajouta-t-il en frissonnant.

J'acquiesçai.

— Il y a un rapport entre son aspect et celui des créatures avec lesquelles il s'est lié. Ce genre de transformation s'est déjà produit à Innsmouth. Des gens présentaient une étrange ressemblance avec les occupants du Récif du Diable avant la destruction de celui-ci. Tu dois t'en souvenir, Eldon ?

Il ne dit rien. Je le tirai de ses songes en lui faisant jurer de m'appeler par téléphone à la première alerte.

— Il sera peut-être déjà trop tard, Dave.

— Non, j'arriverai aussitôt. Au premier signe de nos amis, appelle-moi.

Il me fit oui de la tête et il se coucha pour passer une nuit calme mais probablement sans sommeil.

En ce mois d'avril la lune atteignit sa plénitude aux

environs de minuit la nuit du 27. Bien avant cette date, je m'étais préparé à recevoir le coup de téléphone fatidique de mon cousin. Plus d'une fois, tout au long de l'après-midi et aux premières heures de la soirée, j'avais eu envie de me rendre chez les Sandwin sans attendre l'appel d'Eldon, mais j'avais résisté. Mon cousin téléphona à neuf heures ce soir-là. Bizarrement je venais de remarquer la présence d'Arcturus, à l'est, au-dessus des toits d'Arkham, rougeoyant magnifiquement malgré la clarté de la lune. Il s'était passé quelque chose, j'en étais certain, car la voix d'Eldon était étranglée, les mots sortaient péniblement et il ne savait pas quels termes employer pour me convaincre d'accourir le plus tôt possible.

— Pour l'amour de Dieu, Dave, viens !

Il n'en dit pas davantage. Il n'avait pas besoin d'en dire davantage. Je raccrochai et quelques minutes plus tard je me trouvai dans ma voiture filant vers la côte en direction de la maison Sandwin. La nuit était calme. Il n'y avait pas le moindre souffle de vent. Quelques cris d'engoulevents déchiraient parfois l'obscurité et de temps à autre une chouette se faisait surprendre par la lueur de mes phares. L'air était parfumé de l'odeur des nouvelles plantes, du riche arôme de la terre retournée, du feuillage naissant, de l'eau des marais et de celle de l'Océan. Il semblait vouloir s'opposer à l'horreur que je sentais peu à peu monter en moi.

Comme lors de ma précédente visite, Eldon m'attendait dans le jardin. Je ne fus pas plutôt sorti de ma voiture qu'il se précipita à ma rencontre, l'air affolé, les mains agitées d'un tremblement continuel.

— Ambrose est parti, dit-il. Il a filé quand le vent s'est levé... à cause des engoulevents.

A ces mots je pris conscience de la présence des engoulevents. J'en vis des dizaines qui chantaient tout autour de la maison et je me souvins de la superstition de beaucoup de gens du pays : à l'approche de la mort, les engoulevents, messagers du diable, appellent l'âme du mourant. Leur cri était constant, continuel. Il s'élevait surtout des prés à l'ouest de la bâtisse mais il semblait provenir de partout, formant une cacophonie infernale et assourdissante, car les oiseaux semblaient tout proches. Le cri d'un engoulevent solitaire qui peut paraître doux et agréable à une certaine distance devient incroyablement aigu et déplaisant quand il est émis de près et multiplié des centaines de fois. Je souris sombrement à la pensée de la fuite d'Ambrose et me rappelai qu'Eldon avait parlé du vent qui s'était levé. Il n'y avait pas le moindre souffle d'air.

— Quel vent ? demandai-je brusquement.

— Entre.

Il se détourna et se dirigea vers la maison en me faisant signe de le suivre. En franchissant le seuil de la villa des Sandwin, cette nuit-là, je pénétrai dans un autre monde, sans rapport avec celui que je venais de quitter. La première chose qui me frappa fut le rugissement assourdissant d'un vent furieux. La maison tout entière tremblait sous la pression de ces forces d'on ne savait où et pourtant je pouvais jurer, puisque je venais d'entrer, que, à l'extérieur, la nuit était calme et sans le moindre souffle d'air. Le vent grondait à l'intérieur, aux étages supérieurs, ceux qui étaient occupés par mon oncle Asa et liés psychiquement à ces créatures diaboliques avec lesquelles il avait conclu un pacte. En sus de ce grondement du vent s'éleva cette inquiétante lamentation qui nous était maintenant familière et qui semblait provenir de l'est, d'une distance incommensurable ; en même temps nous parvint le bruit de pas gigantesques, ces pas pâteux, gluants, accompagnés d'un indéniable bruit de succion qui semblait émaner d'en dessous de nous et en même temps d'un point situé au-delà de la maison, au-delà même de l'étendue terrestre. Ce bruit que nous connaissions, lui aussi, avait une origine psychique.

C'était une manifestation de ces êtres démoniaques avec qui les Sandwin avaient conclu cet accord atroce.

— Où est ton père ? demandai-je.

— Dans sa chambre. Il n'en sortira pas. Sa porte est fermée et je ne peux pas entrer.

Je grimpai les escaliers et courus vers la chambre de mon oncle avec l'intention de forcer sa porte si cela se révélait nécessaire, Eldon me suivit en protestant. D'après lui, c'était inutile. Il avait déjà essayé et n'y était pas parvenu. J'étais presque arrivé devant la porte quand je fus arrêté par une barrière invisible. Elle n'était faite d'aucune matière solide. Ce n'était qu'un mur d'air froid et humide que je ne pus pas franchir malgré toutes mes tentatives.

— Tu vois ! cria Eldon.

Je m'échinai à tenter de traverser ce mur d'air devant la porte mais je n'y parvins pas. En désespoir de cause, j'appelai finalement l'oncle Asa. Aucune voix humaine ne me répondit. Je n'entendis que le rugissement du vent quelque part derrière la porte. Un vent qui soufflait déjà avec force dans les étages inférieurs et grondait dans la chambre de mon oncle avec une puissance si furieuse qu'à tout moment les murs semblaient sur le point de céder devant les forces terrifiantes qui s'étaient déchaînées. Durant tout ce temps, les bruits de pas et les lamentations s'étaient régulièrement amplifiés. Ils « approchaient » de la maison, venant de la mer, si cette image était possible puisqu'ils étaient déjà là, faisant partie de la fantastique aura d'horreur dont était imprégnée Sandwin House. Alors que ces bruits « approchaient », venant de l'eau, nous prîmes soudain conscience d'un autre son qui flottait dans l'air au-dessus de nos têtes, un son si incroyable que nous nous regardâmes comme si nous doutions de nos propres oreilles. Nous entendions un bruit de musique et de chants qui s'élevait et s'abaissait tour à tour clair et vague. Nous comprîmes rapidement que cette musique provenait de la même source que les merveilleux accents que nous avions entendus durant nos rêves au début du mois, car cette musique, en surface si belle et éthérée, abondait en notes infernales. Elle devait être semblable aux chants des sirènes qui avaient attiré Ulysse, aussi belle que la musique de Venusberg, mais pervertie par un être diabolique dont l'influence était horriblement manifeste.

Je me tournai vers Eldon qui se tenait derrière moi, tremblant et les yeux hagards.

— Est-ce qu'il y a des fenêtres ouvertes ?

— Pas dans la chambre de mon père en tout cas. Il a travaillé à les barricader durant tous ces derniers jours.

Il tenait la tête légèrement penchée sur le côté et il agrippa soudainement mon bras.

— Ecoute !

Des lamentations de plus en plus fortes s'élevaient maintenant derrière la porte, accompagnées d'un affreux charabia dont certains mots seulement étaient audibles, des mots horribles que je connaissais pour les avoir lus dans les ouvrages interdits de la bibliothèque de l'Université, des mots prononcés par ces créatures liées aux Sandwin par un pacte démoniaque, invocations infernales de ces êtres diaboliques bannis autrefois des espaces concrets et condamnés par les Dieux Aînés à se terrer dans les lieux cachés de la terre et de l'univers, jusqu'à la distance Bételgeuse.

J'écoutais avec une horreur grandissante, due en grande partie à la conscience de mon impuissance et accentuée maintenant par une peur incoercible pour ma propre existence. Les incantations derrière la porte s'intensifiaient régulièrement avec de temps en temps un son plus aigu qui devait avoir une origine différente. Les voix de ces créatures étaient claires. Elles augmentaient et diminuaient au rythme de cette musique lointaine, comme les voix d'un groupe de fidèles

150

chantant leur adoration à leur divinité, un chant diabolique et triomphant :

« Iä ! Iä Lloigor ! Ugh ! Shub-Niggurath !... Lloigor fhtagn ! Cthulhu fhtagn ! Ithaqua !... Iä ! Iä ! Lloigor naflfhtagn ! Lloigor cf'ayak vulgtmm, vugtägln vulgtmm. Ai ! Ai ! Ai ! »

Il y eut une brève accalmie durant laquelle une voix différente s'éleva, paraissant donner une réponse : une sorte de croassement rauque articulant des mots qui m'étaient totalement incompréhensibles. Dans cette voix toutefois, quelque chose me semblait vaguement familier, comme si j'avais déjà eu l'occasion d'entendre certaines de ses inflexions. Le croassement devint de plus en plus hésitant, les notes gutturales s'atténuèrent, et une fois encore s'élevèrent derrière la porte ces incantations triomphantes, cet infernal concert de voix qui provoqua en moi un tel sentiment d'horreur qu'aucun mot ne serait assez fort pour le décrire.

Tremblant convulsivement, mon cousin tendit le bras pour me montrer sa montre qui marquait presque minuit, l'heure de la pleine lune. Les voix à l'intérieur de la pièce continuaient de s'intensifier et le vent soufflait de plus en plus rageusement. Nous avions l'impression de nous trouver au cœur d'un cyclone. Presque au même moment le croassement reprit, augmentant d'intensité jusqu'à l'instant où il se changea brutalement en l'un des plus horribles gémissements que l'on puisse imaginer, la plainte d'une âme, le cri déchirant d'une âme perdue à jamais.

Ce fut seulement à cet instant que je compris tout et que je reconnus la voix rauque, non pas comme la voix de l'un des démoniaques visiteurs de mon oncle, mais comme *celle de mon oncle lui-même.*

Au moment où je fis cette terrible découverte, qu'Eldon devait avoir faite en même temps que moi, le vacarme derrière la porte devint absolument infernal. Le vent démoniaque grondait et rugissait. La tête me tourna, je plaquai mes mains sur mes oreilles et c'est tout ce dont je me souvienne car je perdis connaissance.

Quand je revins à moi, Eldon était penché sur moi. J'étais toujours dans le couloir, allongé sur le sol près de la porte de la chambre de mon oncle et Eldon m'observait de son regard pâle et inquiet.

— Tu t'es évanoui, murmura-t-il. Moi aussi.

Je me redressai, surpris par sa voix qui semblait si forte alors qu'il n'avait parlé que dans un souffle.

Tout était calme. Plus aucun bruit ne venait troubler le silence de la maison Sandwin. A l'extrémité du couloir la lumière de la lune traçait un parallélogramme blanc qui conférait par opposition une sorte d'illumination mystique aux ténèbres qui régnaient dans le couloir. Mon cousin regardait la porte de la chambre d'Asa. Je me levai et m'approchai sans hésitation bien que je craignisse ce que nous allions découvrir derrière le battant de bois.

La porte était toujours verrouillée. Nous dûmes l'enfoncer. Eldon frotta une allumette pour percer l'obscurité de la pièce. J'ignore ce que mon compagnon s'attendait à découvrir, mais ce que nous trouvâmes dépassait mes plus horribles prévisions. Comme mon cousin me l'avait dit, les fenêtres avaient été si soigneusement barricadées que pas un rayon de lune ne pouvait passer, et sur les appuis, mon oncle avait placé toute une série de pierres coupantes. Mais il y avait un passage qu'il avait manifestement oublié : la lucarne du grenier, bien qu'elle fût fermée au loquet, à l'exception d'un trou dans un panneau. Le trajet du visiteur était évident. Une traînée humide pénétrait dans la pièce par la trappe à côté de la fenêtre du grenier. La pièce était dans un état invraisemblable. Il n'y avait plus rien d'intact à part le fauteuil dans lequel mon oncle s'asseyait habituellement. Il semblait qu'une violente tornade avait projeté contre les murs, avec une extrême malveillance, les meubles, les bibelots et des objets de toutes sortes.

Mais ce fut vers le fauteuil de mon oncle que notre attention fut attirée et ce que nous vîmes nous terrorisa, par sa signification profonde, maintenant que la tangible aura d'horreur avait disparu de la maison Sandwin. La trace humide issue de la trappe et de la fenêtre du grenier allait directement jusqu'au fauteuil de mon oncle puis en revenait en une étrange succession d'empreintes qui serpentait sur le sol, empreintes dont certaines, des empreintes de pieds palmés, semblaient partir du fauteuil dans lequel mon oncle s'était assis et gagner l'extérieur. Toutes conduisaient à la trappe. Quelque chose était donc entré et n'était pas reparti seul. Quelque chose d'incroyable, d'horrible, de repoussant... Quelque chose qui avait accompli son œuvre pendant que nous gisions évanouis derrière la porte... Quelque chose qui avait tiré de mon oncle le cri déchirant, presque inhumain, que nous avions entendu avant de perdre connaissance.

Il n'y avait plus de trace de mon oncle. Ou plutôt il n'en restait qu'une, horrible vestige de ce qui avait été là, à la place de mon oncle, plutôt que vestige de mon oncle lui-même. Sur son fauteuil, son fauteuil favori, étaient posés ses vêtements. Ils n'étaient pas posés là en désordre comme mon oncle aurait pu le faire après les avoir retirés. Ils étaient placés d'une manière étrange, dans la position pour ainsi dire vivante d'un homme assis là qui les aurait laissés tomber les uns sur les autres. Il y avait tout, de la cravate aux chaussures. Le terrible déguisement d'un homme qui avait été assis à cet endroit. Ils étaient vides, comme une vêture abyssale qu'une force démoniaque, qui dépassait notre compréhension, aurait grossièrement façonnée à la forme de l'homme qui l'avait portée, l'homme qui de toute évidence en avait été extrait par un être diabolique, assisté par le terrible vent que nous avions entendu : c'était la marque de Lloigor, qui file dans le vent parmi les espaces célestes, le terrible Lloigor contre qui mon oncle ne possédait aucune arme.

LA MAISON DANS LA VALLÉE.

1

MOI, Jefferson Bates, j'écris cette déposition sachant pertinemment que, quelles que soient les circonstances, il ne me reste plus longtemps à vivre. Je la rédige afin que soit rendue justice à ceux qui me survivront et par la même occasion pour m'innocenter des accusations pour lesquelles j'ai été injustement condamné. Un grand Américain malheureusement méconnu écrivit autrefois : « Ce qu'il y a de plus miséricordieux dans ce monde, c'est l'incapacité pour un esprit humain de faire le rapport entre toutes ses connaissances. » Néanmoins, j'ai disposé du temps nécessaire pour réfléchir et méditer et je suis parvenu à classer mes souvenirs dans un ordre que je n'aurais pas envisagé un seul instant il y a encore un an.

Ce fut, bien entendu, au cours de cette année que mes « ennuis » commencèrent. J'utilise ce terme car je ne vois pas quel autre nom leur donner. Si je devais préciser le jour, je suppose qu'en toute équité ce serait celui où Brent Nicholson me téléphona à Boston pour me dire qu'il avait découvert et loué à mon nom l'endroit isolé, d'une grande beauté naturelle, que je cherchais pour exécuter des tableaux que j'avais depuis longtemps en tête. Cet endroit se situait dans une vallée presque perdue, près d'un large ruisseau, légèrement en retrait par rapport à la côte du Massachusetts, dans les environs des vieilles bâtisses d'Arkham et de Dunwich. Tous les artistes de la région connaissaient ces bâtisses, avec leur curieuse architecture de toits en croupe, si plaisante à l'œil et en même temps si déprimante.

A vrai dire, j'ai hésité. Il y avait toujours quelques confrères qui allaient peindre un jour ou l'autre à Arkham, Dunwich ou Kingston, et c'était précisément ce genre de gens que je voulais éviter. Mais Nicholson finit par me persuader, et moins d'une semaine plus tard je me trouvai sur place. Je découvris une grande villa, ancienne comme la plupart des maisons d'Arkham, construite dans une petite vallée qui avait dû être fertile, mais où l'on n'apercevait plus aucune trace de culture. Elle se dressait au milieu de pins décharnés entourés d'une haute clôture. Le long d'un mur, courait un large et clair ruisseau.

Vue d'une certaine distance, cette villa paraissait très attrayante, mais elle l'était beaucoup moins quand on s'en approchait. Tout d'abord, elle était peinte en noir, et cette sombre couleur dégageait une espèce de sourde menace. Ses fenêtres, dépourvues de rideaux, regardaient tristement vers l'extérieur. Le rez-de-chaussée était entouré d'une véranda étroite sur laquelle on avait entassé des débris de toutes sortes, sacs de toile soigneusement liés, chaises à moitié pourries, porte-manteaux, tables et tout un singulier assortiment de vieux objets domestiques qui semblait destiné à empêcher quelqu'un ou quelque chose de sortir, à moins que ce ne fût d'entrer. Cette barricade avait visiblement été dressée depuis longtemps : le temps avait marqué les objets de son empreinte. La raison qui avait fait durer cet obstacle était inconnue de l'agent immobilier, à qui j'écrivis pour obtenir des renseignements, mais elle donnait curieusement à la villa l'apparence d'un bâtiment occupé bien qu'il n'y eût aucun signe de vie et que rien n'indiquât que quelqu'un eût vécu dans ces murs depuis des années.

Mais c'est une impression qu'il me fut impossible d'effacer. Il était pourtant facile de voir que personne n'était entré dans la maison, pas même Nicholson ou l'agent immobilier, car la barricade s'élevait devant la porte principale et la porte de service de cette bâtisse presque carrée et je dus moi-même en démolir une partie pour entrer.

Une fois à l'intérieur, j'éprouvai encore plus fortement la sensation de ne pas être le seul occupant des lieux. Mais il y avait une grande différence, un profond contraste avec la tristesse de l'extérieur et de sa peinture noire. Ici, tout était clair et étonnamment propre malgré la longue période pendant laquelle la maison était restée inoccupée. La villa était meublée sobrement, c'est vrai, mais suffisamment, bien qu'il me semblât que tout ce qui n'était pas indispensable se trouvait sur la barricade.

L'intérieur de la villa correspondait à l'aspect de boîte qu'elle donnait de l'extérieur. Elle comportait quatre pièces au rez-de-chaussée : une chambre, une petite cuisine, une salle à manger et un salon. Le premier étage était constitué de quatre autres pièces de mêmes dimensions : trois chambres et un débarras. Il y avait plusieurs fenêtres dans toutes les pièces dont certaines face au Nord, ce qui était une bénédiction pour moi car la lumière du Nord est la plus recherchée pour la peinture.

Je considérai le premier étage comme sans intérêt, aussi je choisis comme atelier la chambre du rez-de-chaussée à l'angle nord-ouest et y déposai tout mon matériel, sans un regard pour le lit que je poussai de côté. Après tout, j'étais venu travailler et non pas recevoir des visiteurs. J'avais apporté tellement de matériel et ma voiture était si chargée qu'il me fallut presque une demi-journée pour tout transporter dans la maison et m'y installer à mon gré, après avoir dégagé la porte de derrière, comme j'avais dégagé celle de la façade, car je tenais à pouvoir entrer et sortir par les deux côtés de la villa.

Une fois installé, une torche électrique chassant l'obscurité naissante, je relus une fois de plus la lettre de Nicholson, pour prendre note mentalement des renseignements qu'il me donnait.

« Tu seras parfaitement isolé. Les voisins les plus proches se trouvent à plus d'un mile. Ce sont les Perkins, sur la crête au sud de la maison, un peu plus loin, les More. A l'opposé, c'est-à-dire au nord, les Bowden.

« La raison pour laquelle cette maison est abandonnée depuis longtemps devrait t'intéresser. Personne ne veut la louer ni l'acheter parce qu'elle a été autrefois occupée par une de ces étranges et vieilles familles si fréquentes dans les zones rurales isolées, les Bishop. Le dernier survivant de cette famille, un grand bonhomme décharné prénommé Seth, a commis un meurtre dans la maison, aussi les gens superstitieux du coin refusent-ils d'utiliser la villa ou de travailler la terre qui l'entoure. Si tu en as le courage, tu pourras découvrir qu'elle est pourtant très fertile. Un meurtrier peut très bien être un artiste à sa manière, je suppose, mais ce n'était pas le cas de Seth. J'en ai peur, il semble qu'il ait tué cruellement et sans mobile bien défini. Sa victime était un de ses voisins à ce que j'ai cru comprendre. Il l'a purement et simplement égorgé. Seth était ce qu'on appelle une force de la nature. Ce crime me donne froid dans le dos, mais à toi, sûrement pas. La victime était un Bowden.

« Il y a le téléphone qu'on doit venir brancher, je l'ai demandé.

« La maison a son propre générateur. Elle n'est donc pas aussi vieille qu'on le dirait. Cela dit, le générateur a été installé alors que la villa était construite depuis longtemps. Il se trouve à la cave, m'a-t-on dit. Il ne fonctionne peut-être plus.

« Il n'y a pas l'eau courante, désolé. Mais il y a une pompe dans le jardin, et tu as besoin d'exercice pour te garder en forme. Tu ne peux tout de même pas rester tout le temps assis devant ton chevalet.

« La maison semble encore plus isolée qu'elle ne l'est en réalité. Si tu te sens seul, téléphone-moi. »

Le générateur dont il parlait dans sa lettre ne fonctionnait pas, bien entendu. Il n'y avait donc aucune lumière dans la maison. Mais le téléphone avait effectivement été branché comme je le constatai en demandant le village le plus proche qui s'appelait Aylesbury. J'étais fatigué ce premier soir et j'allai me coucher de bonne heure. J'avais apporté de quoi faire un lit, bien entendu, car je n'espérais pas trouver de draps ni de couvertures dans une villa vide depuis si longtemps et je m'endormis rapidement. Depuis la première seconde où j'avais mis le pied dans cette maison, j'éprouvais la vague mais tenace impression de ne pas être le seul occupant des lieux, bien que je fusse convaincu du ridicule de cette sensation, car j'avais fouillé de fond en comble la villa et ses dépendances, peu après mon arrivée et je n'avais découvert aucune cachette qui pût renfermer quelqu'un.

Chaque demeure, tous les êtres sensibles le savent fort bien, possède une atmosphère qui lui est propre. Cette atmosphère ne comporte pas seulement l'odeur du bois, des pierres ou de la peinture... Non, il y a aussi ces empreintes des gens qui ont habité la maison et des événements qui se sont produits dans ses murs. L'atmosphère de la demeure des Bishop défiait une description précise. J'y trouvais l'habituelle odeur de renfermé et de moisissure que dégage tout vieux bâtiment, et aussi les relents d'humidité qui émanaient de la cave, mais je devinais aussi derrière cette odeur quelque chose de plus important, quelque chose qui donnait à la

161

maison une aura de vie, comme si elle avait été un animal endormi, attendant avec une patience infinie un événement qu'il sait devoir se produire un jour ou l'autre.

Cela n'entraînait, je m'empresse de le dire, aucun sentiment de malaise. Pendant la première semaine je n'éprouvai à aucun moment la moindre crainte ou appréhension, et cela ne me préoccupa pas une seconde avant un beau matin de la semaine suivante, alors que j'avais déjà terminé deux toiles imaginatives et que je m'attaquais à une troisième. J'avais conscience, ce matin-là, d'être observé. Je me dis tout d'abord, en plaisantant, que c'était bien entendu la maison qui me regardait travailler, car ses fenêtres ressemblaient à des yeux blancs au milieu de ces murs noirs. Mais je devinai que mon observateur se trouvait quelque part derrière moi et de temps en temps je jetais un coup d'œil vers la lisière du petit bois qui s'étendait au sud-ouest de la villa.

Je finis enfin par localiser mon espion. Je me tournai face aux buissons où il se tenait caché.

— Sortez donc! criai-je. Je sais que vous êtes là!

A ces mots, un grand garçon, au visage couvert de taches de rousseur, se leva et se tint debout face à moi, me fixant d'un regard dur et sombre, à la fois soupçonneux et agressif.

— Bonjour, lui lançai-je.

Il me fit signe de la tête sans dire quoi que ce fût.

— Si ça vous intéresse, approchez et venez voir, je vous en prie.

Il parut se détendre un peu et sortit des buissons. Il avait, je le voyais bien maintenant, une vingtaine d'années. Il portait un pantalon délavé et marchait nu-pieds. C'était un garçon agile, assez musclé et certainement vif et alerte. Il avança un peu, juste assez pour observer ce que je faisais et il s'arrêta. Il me gratifia d'un examen complet. Puis il se décida à parler.

— Vous vous appelez Bishop?

Bien sûr, les voisins devaient obligatoirement penser qu'un membre de la famille s'était manifesté d'un coin perdu de la terre pour réclamer la propriété abandonnée. Le nom de Jefferson Bates ne signifierait rien pour lui. Toutefois, je répugnai curieusement à lui donner mon nom, sans comprendre pourquoi. Je lui répondis très amicalement que je ne m'appelais pas Bishop, que je n'étais pas un parent non plus mais que j'avais loué la villa pour l'été et même un peu plus si je m'y plaisais.

— Je m'appelle Perkins, dit-il. Bud Perkins, de là-haut. Il fit un geste en direction de la crête située au sud.

— Heureux de vous connaître.

— Vous êtes là depuis une semaine, reprit Bud m'apprenant ainsi que mon arrivée dans la vallée n'était pas passée inaperçue. Et vous êtes encore là...

Il semblait profondément surpris, comme si le fait de me trouver encore dans la villa des Bishop une semaine après mon arrivée était un événement étrange.

— Je veux dire, euh... poursuivit-il, il ne vous est rien arrivé. Avec tout ce qui se passe dans la maison, c'est étonnant.

— Qu'est-ce qui se passe donc?

— Vous ne savez pas? demanda-t-il, bouche bée.

— Je suis au courant de l'histoire de Seth Bishop, si c'est à cet... incident que vous faites allusion.

Il secoua vigoureusement la tête.

— Ce n'est pas tout, monsieur. Je ne mettrais pas les pieds dans cette maison, même si on me payait très cher. J'en ai déjà la chair de poule de me tenir aussi près.

Il fronça les sourcils.

— C'est un endroit qu'il aurait fallu réduire en cendres depuis longtemps. On se demande ce que faisaient les Bishop pendant toute la nuit.

— C'est très propre, dis-je. Et c'est très confortable. Il n'y a pas la moindre souris.

— Ah ! Si seulement c'était des souris ! Attendez, vous verrez !

Sur ces mots, il se détourna et disparut dans les bois.

Je devinai que bien des superstitions locales avaient dû naître au sujet de la villa abandonnée. Il était naturel qu'on la crût hantée. Néanmoins, la visite de Bud Perkins me laissa une impression de profond malaise. J'avais manifestement été observé en secret depuis mon arrivée. Je savais qu'un nouvel arrivant était toujours un objet de curiosité dans une région comme celle-ci, mais je sentais que l'intérêt de mes voisins n'était pas de même nature. Ils prévoyaient un événement quelconque. Ils l'attendaient. Seul le fait que rien ne se fût passé avait attiré Bud Perkins dans les parages.

Ce fut cette nuit-là que se produisit le premier « incident » anormal. Les paroles ambiguës de Bud Perkins n'y étaient sans doute pas étrangères, car elles m'incitèrent à attendre une manifestation insolite. En tout cas, « l'incident » fut très vague, presque négligeable, et je pouvais lui trouver une bonne douzaine d'explications. C'est seulement à la lumière des événements qui suivirent qu'il prit toute sa signification. Il se produisit aux environs de deux heures du matin.

Je fus tiré de mon sommeil par un bruit inhabituel. Un homme qui change de résidence s'accoutume progressivement aux sons nocturnes qui lui parviennent, et, après une période d'adaptation plus ou moins brève, il les accepte dans son sommeil. Mais tout bruit nouveau peut le réveiller. Ainsi un citadin qui passera plusieurs nuits dans une ferme s'habituera aux cris des poules, des oiseaux et des grenouilles, mais il pourra être réveillé par le coassement d'un crapaud parce que ce coassement sera étranger au concert nocturne qu'il a l'habitude d'entendre. Je fus donc tiré de mon sommeil

164

par un bruit qui n'appartenait pas au concert des engoulevents, des chouettes, des insectes et autres animaux nocturnes. Ce nouveau bruit était un bruit souterrain. C'est-à-dire qu'il semblait provenir de bien au-dessous de la maison, bien plus bas que la surface de la terre. Il pouvait avoir été produit par un glissement de terrain, une fissure qui se serait ouverte puis refermée, ou par une brève secousse sismique, mais ce qui semblait étrange, c'était que ce bruit se reproduisait avec une certaine régularité comme s'il avait été provoqué par une énorme masse se déplaçant dans une caverne colossale située sous la villa. Je l'entendis pendant une demi-heure environ. Le bruit sembla naître à l'est, s'approcher, puis s'éloigner dans la même direction avant de s'éteindre progressivement. Je n'en suis pas certain, mais les murs de la maison parurent vibrer à l'unisson de ce bruit.

Ce fut peut-être cet incident nocturne qui m'incita le lendemain à fouiner dans le débarras, espérant y découvrir pourquoi mon jeune visiteur avait posé ce genre de question sur les Bishop. Qu'avaient donc fait mes prédécesseurs pour susciter chez leurs voisins une opinion aussi défavorable ?

Le débarras était moins encombré que je ne le craignais, peut-être parce qu'on avait préféré entasser les objets de rebut sous la véranda. La seule découverte étonnante que je fis fut une rangée de livres dont certains étaient ouverts, prouvant ainsi qu'un des membres de la famille devait les étudier quand la tragédie l'avait surpris.

Ces livres étaient extrêmement variés.

Un certain nombre d'entre eux étaient des traités de jardinage. C'étaient de très vieux ouvrages. Je pensai qu'un membre de la famille les avait volontairement ou non mis à l'écart et qu'ils n'avaient été découverts à nouveau que bien plus tard. Je jetai un coup d'œil à deux ou trois d'entre eux et je les trouvai absolument inutilisables de nos jours, car ils décrivaient des méthodes de culture pour des plantes qui m'étaient pour la plupart inconnues : ellébore, mandragore, morelle noire, avelinier et bien d'autres encore. Les quelques pages qui traitaient de plantes plus familières énonçaient de vieilles superstitions qui ne signifiaient plus rien dans notre monde moderne.

Il y avait aussi un recueil avec une couverture en papier consacré à la science des rêves. Il ne semblait pas avoir été lu souvent. Il était recouvert de poussière et le rapide examen auquel je me livrai ne me permit pas de tirer une quelconque conclusion à ce sujet. C'était un de ces livres bon marché, à la mode il y a deux ou trois générations, et son interprétation des rêves était des plus ordinaires. En bref, c'était le genre d'ouvrage qu'un campagnard peu instruit devait acheter en pensant acquérir ainsi des connaissances scientifiques.

En fait un seul de tous ces recueils m'intéressa. Il était très curieux. C'était un ouvrage monumental entièrement copié à la main, dont les feuillets étaient rassemblés au moyen d'une ingénieuse reliure en bois. Il ne possédait probablement aucune valeur littéraire, mais il aurait mérité de figurer dans un musée des curiosités. Sur le moment, je n'y jetai qu'un coup d'œil rapide, car il semblait composé d'une suite de considérations difficiles à comprendre et qui ressemblaient aux inepties du traité sur les rêves. Son titre grossièrement calligraphié indiquait que son contenu avait été rédigé à base d'ouvrages qui faisaient partie d'une vieille bibliothèque. « Seth Bishop, son œuvre : Extraits du *Necronomicon,* du *Culte des Goules,* des *Manuscrits Pnakotiques* et du *Texte de R'lyeh.* Copié de sa propre main par Seth Bishop de 1919 à 1923. »

Sous ces lignes, d'une écriture surprenante pour un homme supposé être ignorant, il avait apposé sa signature.

En poursuivant mes recherches, je découvris plusieurs autres volumes qui se rapportaient au traité sur les rêves ; par exemple, une copie du célèbre *Septième livre de Moïse,* un texte très prisé des membres de vieilles sectes de Pennsylvanie. Je le savais pour avoir lu dernièrement le récit d'un crime commis au nom de cette secte. Par exemple encore, un petit recueil de prières qui semblaient des sujets de dérision car elles s'adressaient à Azraël, à Satan, et à quelques autres démons.

Il n'y avait aucun ouvrage de valeur dans tout le lot. Leur présence indiquait seulement un sombre intérêt de la part des différentes générations de la famille Bishop. Il était clair en effet que le propriétaire des livres de jardinage avait été probablement le grand-père de Seth, alors que le lecteur du recueil sur les rêves ainsi que du *livre de Moïse* était sans doute un membre de la génération de son père. Enfin, Seth lui-même s'était intéressé à des sciences plus obscures.

Les ouvrages que le dernier membre de la famille avait copiés semblaient toutefois plus ardus que ceux que je me serais attendu à trouver entre les mains d'un homme qui ne possédait que peu de connaissances. Ce détail m'étonna et je pris la décision de faire une petite enquête à Aylesbury. Je me rendis dans une boutique située un peu à l'écart, à l'extrémité du village, et où je supposais que Seth se ravitaillait car il avait la réputation d'être assez peu sociable.

Son propriétaire, qui se trouvait être un parent éloigné de Seth par sa mère, me parut peu disposé à se montrer loquace. Mais je parvins tout de même à obtenir quelques réponses à mes questions insistantes. Il s'appelait Obed Marsh. D'après lui, Seth s'était montré « dès le début », c'est-à-dire sans doute dans son enfance et son adolescence, « plus arriéré que tous ceux du clan ». Vers sa vingtième année il était devenu « bizarre », ce qui, dans le langage de Marsh, voulait dire que Seth avait mené une vie de plus en plus solitaire. Il avait parlé à cette époque avec insistance de rêves étranges qui le tourmentaient sans cesse, de bruits qu'il entendait, et de visions qu'ils avaient eues à l'intérieur et à l'extérieur de la maison. Au bout de deux ou trois ans il n'en avait plus parlé. En revanche, il s'était enfermé dans une pièce du rez-de-chaussée qui, d'après la description de Marsh, ne pouvait être que le débarras, et il lisait tout ce qui lui tombait sous la main, bien qu'il n'eût jamais été capable de « passer le quatrième degré ».

Plus tard il s'était rendu à Arkham, à la bibliothèque de l'Université miskatonique, et avait pris connaissance d'autres recueils. Après cette « instruction », Seth était rentré chez lui et avait vécu en sauvage jusqu'à son coup de folie, l'horrible meurtre d'Amos Bowden.

J'en déduisis que son pauvre cerveau, peu doué pour l'étude, avait tenté désespérément d'assimiler des connaissances nombreuses et variées. Mais cette soif d'apprendre avait finalement achevé de troubler les méninges chancelantes de Seth et l'avait conduit à la folie. Du moins, c'est ce que je pensais en retournant à la villa des Bishop.

2

CETTE nuit-là, les événements prirent un tour singulier.

Mais, comme pour d'autres péripéties de cet étrange séjour, je ne saisis pas immédiatement les implications de ce qui se passait. Exposé rapidement, il semblerait ridicule que cela m'eût donné une raison de réfléchir. Ce fut tout simplement un rêve qui me hanta cette nuit-là. Même en tant que rêve, il n'était pas tellement horrifiant, ni même effrayant, mais plutôt étrange et impressionnant.

Je rêvai que je dormais dans la maison des Bishop, tandis qu'un indéfinissable mais réel et abondant nuage — vapeur ou brouillard — surgissait de la cave et envahissait la maison, traversant le plancher et les murs et voilant les meubles, mais sans détériorer quoi que ce fût, avant de prendre peu à peu une forme précise, la forme d'une immense créature amorphe avec des tentacules qui s'articulaient autour d'un visage monstrueux et ondulaient comme des serpents, pendant que se faisait entendre une étrange lamentation, avec en fond sonore un concert d'instruments mystérieux qui jouaient une musique extra-terrestre, et une voix humaine qui chantait des mots inhumains que je transcrirai approximativement de la manière suivante :

169

« Ph'nglui mglw'nafh Cthulhu R'lyeh wgah'nagl fhtagn. »

Ensuite la créature emplissait tout l'espace et enveloppait le dormeur qui était moi-même. Puis elle se dissolvait dans un long et sombre tunnel où avançait un être humain qui ressemblait fortement à la description qu'on m'avait faite de Seth Bishop. Cet homme grandissait... grandissait... devenant aussi volumineux que le nuage de brouillard, puis disparaissait comme il était venu en se fondant avec la forme endormie sur le lit de cette maison dans la vallée.

Aujourd'hui, à la réflexion, ce rêve n'avait aucun sens. Ce n'était qu'un cauchemar sans aucun doute, mais il ne me causa aucune frayeur. Je semblais avoir conscience d'un événement considérable qui m'arrivait ou allait m'arriver et comme je ne pouvais pas le comprendre, je ne pouvais donc pas non plus le craindre. Mieux, la créature amorphe, la voix qui chantait, les lamentations et la musique étrange donnaient à mon rêve un caractère rituel.

A mon réveil, le lendemain, j'eus l'impression de pouvoir revivre mon rêve. J'étais obsédé par la pensée d'avoir déjà eu connaissance de certains de ses aspects. Quelque part j'avais entendu ou vu les paroles de ce chant mystérieux et, cette pensée en tête, je retournai une fois de plus dans le débarras et feuilletai à nouveau l'invraisemblable livre écrit à la main par Seth Bishop. Je cherchai çà et là avant de découvrir avec étonnement que le texte évoquait les croyances envers des Dieux du bien et des Dieux du mal et un conflit qui avait opposé les Grands Anciens à des créatures comme Hastur, Yog-Sothoth et Cthulhu. Cette allusion mythologique me sembla familière et après quelques recherches je découvris une reproduction et une adaptation du chant qui avait hanté mon rêve, écrite de la main de Seth Bishop.

« Dans son abri à R'lyeh le grand Cthulhu attend en rêvant. »

Le plus étonnant de cette découverte était que je n'avais certainement pas lu cette transcription lors de mon premier examen. J'avais peut-être vu « Cthulhu », mais rien de plus lors de mon rapide coup d'œil au manuscrit de Bishop. Comment pouvais-je donc avoir deviné la présence d'une telle phrase alors que je n'en avais pas connaissance, même pas dans mon subconscient ? L'esprit humain ne peut en général pas créer un rêve à partir d'éléments dont il ne soupçonne pas l'existence. C'était pourtant ce que je venais de faire.

Encore plus étrange, alors que je lisais les textes souvent choquants des cultes diaboliques et des légendes incroyables, je retrouvai de vagues descriptions d'une créature ressemblant étonnamment à celle de mon rêve, non d'une créature de brouillard ou de vapeur mais d'un être concret qui correspondait à une image que je ne connaissais pourtant pas, ce qui constituait une seconde réminiscence d'une chose qui m'était pourtant étrangère.

J'avais entendu parler, bien entendu, des forces psychiques, ces forces cachées derrière le décor apparent de tout événement, que cet événement fût une grave tragédie survenue au genre humain ou la manifestation d'un sentiment violent, amour, haine, peur. Il était possible qu'une influence de cette nature eût provoqué mon rêve, comme si l'atmosphère de la maison m'avait envahi et submergé pendant mon sommeil, ce que je ne considérais pas comme impossible, tant cette vieille demeure renfermait entre ses murs une extraordinaire puissance de suggestion dont j'ignorais l'origine.

Cependant, il était midi et la faim commençait à me tenailler, mais une force mystérieuse m'incitait à me rendre à la cave pour y accomplir un nouveau pas à la poursuite de mon rêve. J'y descendis aussitôt, et après des recherches épuisantes au cours desquelles je dus déplacer des rayonnages de bois portant des bocaux de fruits et de légumes en conserve, je découvris un passage dans un mur. C'était l'entrée d'une sorte de tunnel dans lequel je m'aventurai sans hésiter. Je ne pus aller bien loin. La profondeur de l'obscurité qui y régnait et la pauvreté de la lueur de ma lampe ainsi que l'humidité du sol sur lequel je marchais me contraignirent à rebrousser chemin. J'eus tout de même le temps d'apercevoir de vieux ossements à demi enfouis dans le sol. Quand je retournai dans le tunnel après avoir muni ma torche électrique d'une pile neuve, j'acquis rapidement une certitude : les ossements appartenaient à des animaux, et à des animaux relativement nombreux. Je n'étais pas étonné outre mesure de les trouver dans ce souterrain, mais je me demandais toutefois comment ils avaient pu s'y introduire.

Je ne m'attardai pas longtemps sur ce problème. Je préférais pour l'instant poursuivre mon avance dans le tunnel qui semblait se diriger vers la côte. Je marchai longtemps et me retrouvai brusquement devant un mur de terre. Un éboulement s'était produit, mais le tunnel devait certainement se poursuivre au-delà de cette masse de terre. Quand je ressortis enfin, l'après-midi était bien avancé et je mourais de faim. J'étais arrivé à deux conclusions, tout d'abord le tunnel n'était pas une cavité naturelle, du moins dans la partie où la terre s'était éboulée. Quelqu'un l'avait manifestement creusé. Et, ensuite, il avait été utilisé à de sombres fins que je ne pouvais préciser.

J'en ignore la raison mais ces découvertes m'avaient mis dans un surprenant état d'excitation. Si j'avais été à l'époque parfaitement maître de moi, j'aurais compris que ma conduite n'était pas normale, mais sur le moment je me trouvais confronté avec un mystère qui inconsciemment me semblait d'une grande importance... J'étais décidé à découvrir tout ce que je pourrais sur cette partie, apparemment inconnue, de la propriété de Bishop. Cependant, je ne pouvais pas m'y attaquer avant le lendemain. D'autre part, si je voulais me frayer un chemin à travers ce tunnel, j'avais besoin d'un matériel que je ne possédais pas dans la villa.

Un autre voyage à Aylesbury était inévitable. Je me rendis aussitôt chez Obed Marsh et demandai une pioche et des pelles. Ma requête sembla bouleverser le vieil homme plus que de raison. Il devint pâle et hésita à me servir.

— Vous avez l'intention de creuser, monsieur Bates ?

J'opinai en silence.

— Cela ne me regarde pas mais vous aimeriez peut-être savoir que Seth en a fait autant pendant un certain temps. Il a usé trois ou quatre pelles.

Il se pencha vers moi, les yeux étincelants.

— Le plus étrange, c'est que personne n'a jamais trouvé où il avait creusé.

J'étais assez déconcerté par cette information mais je n'hésitai pas.

— La terre autour de la maison me paraît riche et fertile, dis-je.

Il sembla soulagé.

— Si vous avez l'intention de jardiner, c'est différent.

Un autre de mes achats le tourmenta. J'avais besoin d'une paire de bottes de cuir pour protéger mes chaussures de la boue qui inondait la plus grande partie du tunnel, sans doute en raison de la proximité des marais. Mais Marsh ne fit pas de commentaire à ce sujet. Alors que je m'apprêtais à partir, il parla à nouveau de Seth.

— On ne vous a rien dit d'autre, monsieur Bates ?

— Les gens de la région ne sont pas très bavards.

— Ce ne sont pas des Marsh, reprit-il en esquissant un sourire. On dit que Seth était plus un Marsh qu'un Bishop. Les Bishop croyaient au surnaturel. Mais les Marsh, jamais.

Je le quittai sur cette curieuse déclaration qui résonna longtemps dans mes oreilles.

Maintenant que j'étais équipé en conséquence, j'avais hâte d'être au lendemain pour m'attaquer à nouveau au tunnel. J'étais impatient de retourner dans ce souterrain et de poursuivre mon enquête sur un mystère certainement en rapport avec la légende qui entourait la famille Bishop.

Les événements se succédèrent ensuite à un rythme accéléré. Deux faits nouveaux se produisirent au cours de la nuit.

Le premier arriva un peu avant l'aube, quand je surpris Bud Perkins rôdant à l'extérieur de la maison. Cela m'ennuya vivement car je m'apprêtais à descendre à la cave. Mais comme je tenais à savoir ce qu'il désirait, j'ouvris la porte et sortis dans la cour à sa rencontre.

— Qu'est-ce que vous voulez, Bud ? demandai-je.

— J'ai perdu un mouton, dit-il laconiquement.

— Je ne l'ai pas vu.

— Il est venu par ici, répondit-il.

— Eh bien je ne vous empêcherai pas de le chercher.

— J'espère que toutes ces histoires ne vont pas recommencer.

— Que voulez-vous dire ?

— Si vous ne le savez pas, ce n'est pas la peine de vous l'apprendre. Si vous le savez je ferais bien de ne pas en parler. Alors je préfère ne rien dire.

Cette conversation de dupes m'étonna. D'autre part, Bud Perkins me suspectait d'être mêlé à la disparition de son mouton et je ne pouvais pas le tolérer.

J'ouvris la porte en grand et m'écartai.

— Fouillez donc la maison si vous voulez.

Mais à ces mots, il écarquilla les yeux d'horreur.

— Moi, mettre les pieds chez vous ? cria-t-il. Jamais de la vie ! Je suis déjà le seul à avoir le courage d'approcher aussi près de la maison. Mais je n'accepterais pas d'y entrer pour tout l'or du monde. Il n'en est pas question.

— Vous n'avez rien à craindre, dis-je, incapable de réprimer un sourire devant la frayeur de mon jeune interlocuteur.

— Ça, c'est vous qui le dites. Mais nous en savons plus que vous. Nous savons ce qui se cache derrière ces murs noirs et qui attendait l'arrivée de quelqu'un. Et vous êtes venu. Maintenant tout recommence comme avant.

Sur ces mots, il se retourna et, comme la dernière fois, disparut en courant dans les bois. Quand j'eus constaté qu'il ne revenait pas, j'entrai à nouveau dans la maison. Et là, je fis une découverte qui aurait dû m'alarmer mais qui me parut seulement curieuse. Sans doute étais-je mal réveillé et seulement à moitié conscient. Les nouvelles bottes que j'avais achetées la veille avaient été utilisées. Elles étaient couvertes de boue. Je savais pourtant que, le soir précédent, elles étaient propres et neuves.

A leur vue une conviction grandissante me gagna lentement. Sans mettre les bottes, je descendis dans la cave, me glissai par la brèche ouverte dans le mur et suivis le tunnel jusqu'à l'éboulis qui barrait le passage. J'éprouvais une certitude prémonitoire de découvrir ce que je vis. L'obstacle avait été creusé. L'ouverture était suffisante pour laisser passer un homme. Des traces dans la terre humide avaient manifestement été faites par les bottes que je venais d'acheter. A la lueur de ma torche électrique, leur marque de fabrique était parfaitement visible dans le sol.

Je me trouvais en face d'une alternative. Ou bien quelqu'un s'était servi de mes bottes pour creuser le tunnel ou bien je les avais moi-même utilisées pendant mon sommeil. La deuxième hypothèse semblait s'imposer d'elle-même, car malgré mon impatience, j'étais fatigué à un tel point que je ne pouvais l'expliquer que d'une seule façon : j'avais dû passer pendant mon sommeil un certain nombre d'heures de la nuit à creuser ce passage dans le tunnel.

Je crois que, au moment où je franchis l'éboulement pour poursuivre ma marche dans le tunnel, je savais d'avance ce que j'allais y découvrir : des cavernes successives, creusées dans le roc, reliées par l'étroit boyau où je progressais et qui toutes abritaient de vieux autels de pierre sur lesquels avaient été autrefois célébrés des sacrifices, sacrifices non seulement d'animaux mais aussi d'êtres humains, et, au bout du souterrain, une dernière caverne qui ouvrait sur un abîme au fond duquel miroitait la surface de l'eau. Il s'agissait sans aucun doute de l'Atlantique qui devait parvenir jusque-là par une suite de grottes communiquant les unes avec les autres. Et je savais aussi d'avance ce que j'allais découvrir au bord de ce gouffre ouvert sur les profondeurs de l'Océan : des touffes de laine, un simple sabot avec le bout d'une patte. Tout ce qui restait d'un mouton encore vivant la nuit précédente.

Je me détournai et rebroussai chemin, complètement atterré, ne cherchant même pas à savoir comment cette bête avait pu parvenir jusque-là. C'était le mouton de Bud Perkins, j'en étais certain. Il avait été amené dans cette salle souterraine pour subir le même sort que les animaux dont il ne subsistait que quelques ossements devant les autels des cavernes voisines, échelonnées entre ce gouffre aux eaux agitées et la maison que j'avais tout à l'heure laissée derrière moi.

Je ne traînai pas longtemps dans la villa. Je me mis en route pour Aylesbury. Je m'y rendais sans but précis, mais je sais maintenant que j'avais hâte d'en apprendre davantage sur les légendes qui couraient sur la maison des Bishop. Mais une fois en ville, je me heurtai à une véritable réprobation des habitants que je rencontrai. Les passants dans la rue évitaient de croiser mon regard ou même me tournaient franchement le dos. Un jeune homme à qui j'avais un jour précédent adressé la parole feignit de ne pas me reconnaître.

Même l'attitude d'Obed Marsh avait changé. Il accepta mon argent sans la moindre difficulté, mais son attitude était réservée et il parut pressé de me voir quitter son magasin aussi vite que possible. Je lui fis clairement comprendre que je ne sortirais pas avant d'avoir entendu ses réponses à un certain nombre de questions.

Qu'avais-je fait ? Pourquoi ses concitoyens me battaient-ils froid ?

— C'est à cause de la maison, dit-il finalement.

— Je n'y suis pour rien. répondis-je très mécontent.

— On raconte quelque chose, reprit-il.

— Ah, oui ! Et qu'est-ce qu'on raconte ?

— C'est au sujet du mouton de Bud Perkins et de vous. On parle aussi de ce qui se passait du temps de Seth Bishop.

Il se pencha un peu plus vers moi et me lança d'une voix rude.

— On dit même que Seth Bishop est revenu.

— C'est ridicule ! Seth Bishop est mort et enterré depuis longtemps.

Il hocha la tête.

— Une partie de lui, c'est exact. Mais il y a une autre partie qui ne l'est peut-être pas. Croyez-moi, ce que vous avez de mieux à faire, c'est de filer d'ici. Vous en avez encore le temps.

Je lui rappelai vertement que j'avais loué la propriété des Bishop pour quatre mois avec une option pour une année entière. Il répondit que dans ce cas il n'avait plus rien à me dire. Je le pressai néanmoins de questions sur la vie de Seth Bishop. Tout ce qu'il consentit à me raconter concernait les vagues soupçons de ses voisins. Je le quittai en gardant une image assez inattendue de Seth, qui paraissait avoir été plus à plaindre qu'à redouter. Il avait été tenu à l'écart dans son inquiétante villa aussi bien par ses voisins immédiats que par les habitants d'Aylesbury qui le détestaient et le redoutaient tout à la fois sans qu'il y eût la moindre preuve d'un méfait qu'il aurait commis dans la région.

Qu'avait à se reprocher Seth Bishop, à part le dernier crime dont il s'était rendu coupable ? Il avait mené une existence recluse, laissant même à l'abandon le jardin de ses ancêtres, sans montrer le moindre intérêt pour la sorcellerie et la magie noire qui avaient fasciné son père et son grand-père, mais se passionnant, en revanche, jusqu'à l'obsession, pour des sciences et une mythologie beaucoup plus anciennes et qui paraissaient aussi ridicules et puériles que la sorcellerie.

Un tel phénomène était fréquent dans des régions aussi isolées, surtout au sein de familles aussi peu évoluées que la famille Bishop.

Seth avait peut-être trouvé dans les livres de ses ascendants certaines références obscures qui l'avaient incité à se rendre à la bibliothèque miskatonique de l'Université d'Arkham où il avait sans doute entrepris la tâche monumentale de copier des passages entiers d'ouvrages que le règlement interdisait d'emporter hors de la bibliothèque. Cette mythologie qui l'intéressait tellement était une déformation de l'ancienne légende chrétienne. En termes simples, elle racontait les luttes cosmiques qui mettaient aux prises les forces du bien et les forces du mal.

Bien qu'il soit difficile de résumer l'histoire en quelques lignes, il semble que les premiers habitants des espaces sidéraux furent des êtres gigantesques, non anthropomorphes, qui s'appelaient les Grands Anciens et vivaient sur Bételgeuse dans des temps les plus reculés. Certains Dieux du mal se rebellèrent contre les forces du bien : Azathoth, Yog-Sothoth, Cthulhu l'amphibie, Hastur l'inqualifiable, Lloigor, Zhar, Ithaqua, le messager du vent, et les êtres de la terre, Nyarlathotep et Shub-Niggurath. Mais la révolte échoua. Ils furent rejetés et bannis par les Grands-Anciens qui les condamnèrent à rester sur des étoiles et des planètes lointaines ou à se cacher dans les profondeurs terrestres. Cthulhu fut envoyé au fond des mers en un lieu appelé R'lyeh, Hastur sur une étoile noire près d'Aldébaran, dans les Hyades, Ithaqua dans les étendues glacées de l'Arctique et d'autres dans des endroits comme Kadath, au cœur d'une région désolée du fond de l'Asie.

Depuis cette rébellion, qui est comparable à la révolte de Satan et de ses sujets contre le maître du paradis, les Dieux du mal se sont efforcés de reconquérir leur puissance pour vaincre à leur tour les Dieux du bien. Ils ont pour cela créé sur la terre et sur d'autres planètes des êtres qui pourraient leur venir en aide au moment voulu, par exemple les abominables hommes des neiges, ou les êtres des profondeurs et bien d'autres encore, tous dévoués au service des Dieux du mal. Ils se consacrent aujourd'hui à libérer les forces diaboliques qui sont maintenues au fond de leur refuge par l'intervention directe des Grands Anciens ou par la vigilance des êtres humains, armés pour les combattre.

Voici grossièrement le récit que Seth avait recopié sur son livre, en utilisant de très vieux recueils, souvent semblables, et relevant de la plus haute fantaisie. Toutefois, il avait collé sur certaines pages plusieurs articles de journaux qui présentaient un caractère troublant. Ils traitaient des événements du Récif du Diable à Innsmouth en 1928, d'un prétendu serpent de mer au lac de Rick, dans le Wisconsin, d'atrocités commises au fin fond du Vermont et près de Dunwich. Mais je supposais me trouver en présence des coïncidences habituelles qui alimentent toujours les légendes les plus invraisemblables. De même il n'y avait sans doute aucune raison particulière pour que le passage souterrain se dirigeât vers la côte. Il devait être l'œuvre d'un ancêtre de Seth Bishop qui ne l'avait repris à son compte que bien des années plus tard.

En résumé, le pauvre Seth me parut avoir été un ignorant, un peu illuminé, et qui s'efforçait de faire progresser ses connaissances dans des directions qui le fascinaient. Il était sans doute superstitieux et crédule, peut-être même un peu simple d'esprit, mais certainement pas diabolique.

3

CE fut à cette période que je pris conscience d'un fait curieux.

Il me semblait sentir la présence de quelqu'un d'autre dans la maison des Bishop, un étranger qui n'avait rien à faire dans la villa et qui jouait les intrus. Bien qu'il feignît de peindre il se trouvait là pour m'espionner, j'en étais certain. Je n'eus que des aperçus fugitifs de ce personnage, un reflet dans un miroir ou dans la vitre d'une fenêtre, mais je découvris dans la pièce située au nord-ouest de la demeure la preuve de son travail : une toile non terminée sur son chevalet et, appuyés au mur, quelques tableaux dont la peinture était déjà sèche.

Je n'eus pas le temps de me mettre à sa recherche car « Celui » d'en dessous m'appelait et chaque nuit je lui apportais de la nourriture. Elle ne lui était pas destinée car aucun être humain ne savait ce qui lui était nécessaire, mais je nourrissais Ceux qui le servaient dans les entrailles de la terre, les Etres des profondeurs. Ils surgissaient en nageant du fond de la mer et se présentaient à moi, paraissant être issus d'un croisement d'humains et de batraciens, avec des mains et des pieds palmés, des bouches aux lèvres minces, démesurément larges, semblables à des bouches de grenouilles, et des yeux glauques conçus pour les ténèbres des profondeurs sous-marines. Dans des lieux insondables, ils servaient Celui qui attend en rêvant de pouvoir apparaître de nouveau et reprendre possession de son royaume. Celui qui espère retrouver sa place sur la terre comme sur toutes les planètes où il régna avant de se voir exilé par plus fort que lui.

Cette impression était peut-être due à la découverte d'un vieux journal personnel que je m'apprêtais à lire comme un trésor jalousement gardé depuis mon enfance. Je l'avais trouvé par hasard dans la cave, à moitié moisi et paraissant avoir été perdu depuis longtemps. Il possédait une grande valeur car il contenait des révélations qui ne devaient être divulguées à personne.

Les premières pages manquaient, déchirées et brûlées sous l'emprise de la frayeur quand l'auteur des notes n'avait pas encore confiance en lui. Mais toutes les autres étaient intactes et parfaitement lisibles.

« 8 juin. Je suis allé à la réunion à huit heures. Nous avons pris le veau des More. J'ai compté quarante-deux Etres des profondeurs. Il y avait aussi une créature différente des autres. Elle ressemblait à une pieuvre, mais n'en était pas une. La réunion a duré trois heures. »

Ce fut le premier article que je découvris. La plupart des suivants traitaient des mêmes sujets, voyages souterrains, réunions auxquelles assistaient les Etres des profondeurs et, occasionnellement, d'autres créatures. Au mois de septembre de cette année-là, une catastrophe...

« 21 septembre. Beaucoup de monde aujourd'hui. Quelque chose de terrible vient d'arriver au Récif du Diable. Un de ces vieux fous d'Innsmouth a parlé. L'armée a envoyé des sous-marins pour faire sauter le Récif et les bâtiments en bordure de mer. Les Marsh ont pu s'enfuir pour la plupart. Les Etres des profondeurs ont vu un grand nombre des leurs se faire tuer.

Les charges explosives n'ont pas atteint R'lyeh où Il attend en rêvant... »

« 22 septembre. D'autres détails sur Innsmouth. Trois cent soixante et onze Etres des profondeurs ont trouvé la mort. Les autres ont pu fuir, tous ceux qui ont été prévenus par les Marsh. On dit que les rescapés du clan des Marsh ont filé vers Ponape. Trois Etres des profondeurs venant de cet endroit sont arrivés ce soir. Ils ont dit qu'ils se rappelaient l'apparition du vieux Capitaine Marsh et le contrat qu'il avait conclu avec eux. Il avait épousé une des leurs et avait eu des enfants qui étaient donc le résultat du croisement d'un humain et d'un Etre des profondeurs. Cet événement avait marqué le clan des Marsh pour toujours. Depuis lors, les bateaux des Marsh étaient devenus les meilleurs. Leur entreprise s'était développée plus qu'ils ne l'avaient jamais rêvé. Leur famille était devenue rapidement l'une des plus importantes d'Innsmouth. Ils vivaient dans leur villa durant la journée et accompagnaient les Etres des profondeurs la nuit venue. Les propriétés des Marsh à Innsmouth ont été incendiées. Donc l'armée avait appris la vérité. Mais les Marsh reviendront un jour, prétendent les Etres des profondeurs, et tout recommencera quand le Grand Ancien surgira à nouveau du fond des mers. »

« 23 septembre. Terrible destruction à Innsmouth. »

« 24 septembre. Il faudra des années pour réparer les refuges d'Innsmouth. Rien ne se fera avant le retour des Marsh. »

Les voisins peuvent raconter ce qu'ils veulent au sujet de Seth Bishop. Il n'était pas un imbécile. Ce journal n'était pas l'œuvre d'un ignorant. Son travail à la bibliothèque de l'Université miskatonique n'avait pas été inutile. Il était le seul de cette région à avoir compris ce qui se cachait dans les profondeurs sous-marines de l'Atlantique. Personne d'autre ne soupçonnait...

Voilà ma principale préoccupation, le résumé de mes activités diurnes à la villa. J'y pensais sans cesse et je vivais en conséquence. Et la nuit?

Quand l'obscurité avait envahi la maison, je pressentais encore plus fortement l'imminence d'un événement important. Mais inconsciemment je rejetais ce qui allait arriver. Comment pouvait-il en être autrement? Je savais maintenant pourquoi les meubles se trouvaient sous la véranda. Les Etres des profondeurs avaient commencé à emprunter le tunnel et à envahir la maison. Ils étaient amphibies. Ils avaient peu à peu poussé les meubles à l'extérieur et Seth n'avait jamais pris la peine de remettre ces derniers à leur place.

Chaque fois que je m'éloignais de la maison il me semblait la voir dans ses perspectives correctes, ce qui m'était impossible quand je l'habitais. L'attitude de mes voisins était maintenant menaçante. Non seulement Bud Perkins venait toujours surveiller la villa, mais je voyais aussi les Bowden, les More et certains de leurs concitoyens. Je laissais entrer sans le moindre commentaire ceux qui le désiraient, Bud s'y refusait toujours, ainsi que les Bowden. Mais les autres cherchaient en vain ce qu'ils s'attendaient à trouver et ne découvraient jamais.

Qu'espéraient-ils donc apercevoir? Certainement pas les vaches, les poulets, les cochons et les moutons qui leur avaient été dérobés. Que voulaient-ils que j'en fasse? Je leur montrais ma façon de vivre et ils regardaient mes toiles. Ils repartaient doucement, hochant la tête et ne semblant pas convaincus.

Que pouvais-je faire de plus? Je savais qu'ils me craignaient autant qu'ils me détestaient et qu'ils préféraient rester loin de la maison.

Néanmoins, ils me gênaient. Certains matins je me réveillais vers midi complètement épuisé, avec l'impression de ne pas avoir dormi de la nuit. Le plus troublant c'était que, parfois, je me retrouvais habillé alors que je pouvais jurer m'être dévêtu pour me coucher. Il m'arrivait même de me réveiller les mains rouges de sang séché.

J'avais peur de me rendre dans le tunnel pendant la journée mais je finis par m'y contraindre. Je descendis avec ma lampe électrique et examinai soigneusement le sol du tunnel. Aux endroits où la terre était molle, je découvris des traces de pas qui indiquaient que de nombreuses allées et venues avaient été effectuées. La plupart de ces traces étaient des empreintes de pieds humains, mais d'autres étaient inquiétantes. Elles me firent penser à des pieds nus dont les doigts auraient été reliés par une mince couche de peau, comme des pieds palmés. J'avoue avoir détourné en frissonnant le faisceau de ma lampe.

Ce que je découvris à l'extrémité du tunnel, au bord du gouffre ouvert sur l'océan, me fit rapidement rebrousser chemin. Quelque chose avait surgi de l'eau et avait escaladé la falaise. J'en voyais nettement les empreintes. Je compris tout de suite quelles atrocités avaient été commises en apercevant à la lueur de ma torche de nombreux ossements.

Je savais que mes voisins ne pourraient pas se contrôler encore longtemps. La paix ne régnerait jamais dans cette maison ni dans la vallée. Les vieilles haines, les vieilles inimitiés persistaient et se cristallisaient sur ce lieu maudit. Je perdis rapidement toute notion de temps. J'existais dans un autre monde, relié au nôtre par cette maison dans la vallée, qui constituait une entrée dans ce royaume caché. Je ne saurais dire depuis combien de temps j'habitais cette villa — peut-être six semaines, peut-être six mois — lorsqu'un jour, le shérif du comté, accompagné de deux de ses adjoints, se présenta chez moi muni d'un mandat d'arrêt. Le policier m'expliqua qu'il n'avait pas l'intention de l'utiliser mais qu'il désirait me poser un certain nombre de questions et que, si je refusais de le suivre, il serait obligé de s'en servir. Il me précisa qu'il se fondait sur des accusations précises, bien que leur nature lui semblât quelque peu exagérée et parfois sans fondement.

J'acceptai donc de le suivre jusqu'à Arkham. Je me sentis étonnamment à l'aise et en sécurité dans cette ancienne ville aux toits en croupe. Le shérif était un homme aimable qui s'était présenté à la villa sur l'insistance de mes voisins, j'en étais certain. Il s'excusa presque quand je m'assis en face de lui dans son bureau, avec un adjoint prêt à noter notre conversation.

Il commença par me demander si j'étais sorti de ma maison au cours de la nuit précédente.

— Non, pas à ma connaissance, répondis-je.

— Vous ne seriez tout de même pas sorti sans le savoir ?

— Si je dormais, je ne m'en souviendrais pas.

— Vous avez l'habitude de sortir la nuit en dormant ?

— Avant mon arrivée dans cette région, non. Maintenant je l'ignore.

Il me posa de nombreuses questions anodines, évitant toujours de me préciser la raison de cet interrogatoire. Mais il finit par y venir.

Des animaux sauvages avaient attaqué un troupeau parqué dans un pré. A l'exception de deux d'entre elles, toutes les vaches avaient été littéralement mises en pièces. Or, il semblait que ces animaux sauvages étaient dirigés par un homme.

Le troupeau appartenait à un nommé Sereno Moel et c'était ce dernier qui m'avait accusé, appuyé par Bud Perkins qui s'était montré encore plus insistant que lui.

Une fois formulée, l'accusation semblait encore plus ridicule. Le shérif s'en rendit compte lui-même car il se montra un peu plus affable. J'eus beaucoup de mal à ne pas lui éclater de rire au nez. Pour quelles raisons aurais-je commis un tel acte de folie ? Et quels « animaux » aurais-je pu commander ? Je n'en possédais aucun, pas même un chien ou un chat.

Néanmoins, le shérif poursuivit poliment son interrogatoire. Quelle était l'origine des éraflures qu'il apercevait sur mon bras ?

Je les remarquai moi-même pour la première fois et les regardai pensivement.

J'avais peut-être cueilli des mûres ?

Je m'en souvins effectivement et le lui appris. Mais j'ajoutai aussitôt que je ne me rappelais pas m'être égratigné.

Ces derniers mots semblèrent soulager le shérif. Il me confia que l'enclos où les vaches avaient été attaquées était bordé de ronces. La coïncidence avec mes égratignures ne pouvait manquer de frapper et c'était pourquoi il m'avait questionné à ce sujet. Cependant, il parut satisfait de voir que je n'étais pas différent de ce que je prétendais être et il se montra beaucoup plus loquace. J'appris ainsi qu'il avait été chargé autrefois d'enquêter sur un événement semblable. A cette époque l'accusation avait été formulée contre Seth Bishop, mais comme aujourd'hui, elle n'avait comporté aucune suite. La maison des Bishop avait été fouillée sans qu'aucun indice n'y fût découvert. L'accusation était si vague que personne ne fut envoyé devant un tribunal. On ne juge pas un homme sur de simples soupçons des voisins.

Quand je lui assurai être prêt à laisser fouiller la maison, il esquissa un sourire et m'apprit avec toutes les précautions possibles qu'elle l'avait été de fond en comble pendant qu'il m'interrogeait. Cette fois encore, ses hommes n'avaient rien découvert.

Néanmoins, je me sentais troublé et mal à l'aise en regagnant la propriété. Je tentai de rester éveillé dans l'attente d'un événement quelconque, mais je finis par succomber au sommeil. Je m'endormis, non pas dans ma chambre, mais dans le débarras, l'étrange et terrible livre de Seth Bishop à la main.

Je rêvai à nouveau cette nuit-là, pour la première fois depuis mon cauchemar initial. Et cette fois encore, je rêvai d'une gigantesque créature amorphe qui surgissait de l'eau noirâtre de la caverne au fond du tunnel sous la maison. Mais cette fois, cette créature n'était pas seulement une vague silhouette imprécise dessinée par le brouillard. Non, elle était horriblement réelle, faite d'une chair qui semblait avoir été conçue à partir d'une roche ancienne ; une énorme masse de matière surmontée d'une tête sans cou et d'où partait un certain nombre de tentacules qui atteignaient une singulière longueur. Cette créature surgit donc de l'eau alors que tout autour les Etres des profondeurs lui criaient leur adoration et leur obéissance. Et j'entendis à nouveau s'élever cette merveilleuse musique mystérieuse qui accompagnait son apparition, tandis que des milliers de gorges batraciennes hurlaient pour lui rendre hommage : « Iä ! Iä ! Cthulhu fhtagn. »

Et une fois de plus j'entendis ces bruits de pas sous la maison, dans les entrailles de la terre...

Je me réveillai à ce stade de mon rêve, mais à mon grand effroi, je percevais toujours les bruits de pas souterrains, je sentais le tremblement des murs de la maison, et même du sol, j'entendais aussi cette musique incroyable diminuer lentement comme si ses auteurs s'éloignaient au plus profond de la terre. Affolé, je me ruai à l'extérieur de la maison, courant aveuglément pour m'éloigner le plus vite possible. Mais je dus affronter un autre danger.

Bud Perkins se dressa sur mon chemin, une arme braquée sur moi.

— Où comptez-vous aller ? demanda-t-il.

Je m'arrêtai brusquement, ne sachant quoi répondre. Derrière moi, la maison était maintenant devenue silencieuse.

— Nulle part, dis-je finalement.

Puis ma curiosité l'emporta sur mon dégoût envers ce voisin trop curieux.

— Avez-vous entendu quelque chose, Bud ?

— Tout le monde l'entend depuis des nuits et des nuits. Nous avons organisé un tour de garde. Autant que vous le sachiez. Nous n'avons pas l'intention de tirer, mais si nous y sommes obligés nous n'hésiterons pas.

— Je n'en suis pas responsable, dis-je.

— Il n'y a personne d'autre dans la maison, répondit-il laconiquement.

Je pouvais sentir son animosité.

— Cela se produisait déjà quand Seth Bishop habitait ici. Rien ne nous prouve qu'il ne soit pas encore là.

Ses dernières paroles me glacèrent curieusement le sang. A cet instant, la maison, malgré son atmosphère de terreur, me parut moins redoutable que les ténèbres environnantes où se cachaient Bud et les voisins, prêts à tirer sur tout ce qui bougerait. Ces hommes me semblèrent plus dangereux que tout ce qui pourrait se passer à l'intérieur des murs noirs de la villa. Seth Bishop avait peut-être affronté lui aussi la haine de ses voisins. Et il avait peut-être tout simplement entassé les meubles à l'extérieur pour se protéger des balles.

Je retournai à la maison sans ajouter un mot.

A l'intérieur tout était calme maintenant. Il n'y avait plus le moindre bruit. J'avais tout d'abord trouvé anormal de ne voir ni rats ni souris dans une maison abandonnée, sachant que ces rongeurs ne mettent pas longtemps à s'installer dans une demeure. J'en avais été heureusement surpris. Ce soir-là, je crois que j'aurais accueilli avec plaisir la moindre manifestation de leur part. Mais rien ne se produisit. Il ne régnait qu'un silence pesant, mortel, comme si la maison elle-même craignait de faire le moindre bruit et d'inquiéter les hommes qui se tenaient à l'extérieur, prêts à affronter une force qu'ils ne connaissaient pas.

Je ne m'endormis que très tard cette nuit-là.

4

COMME je l'ai déjà écrit, je ne possédais plus très bien à cette époque la notion du temps qui passait. Si ma mémoire ne me joue pas des tours, il s'écoula une trêve de près d'un mois après cette nuit agitée. Je découvris que les gardes avaient peu à peu abandonné leur faction.

Seul Bud Perkins ne capitulait pas et surveillait la maison nuit après nuit.

Il s'était sans doute passé encore cinq semaines quand je me réveillai une nuit et me retrouvai dans le tunnel sous la maison, revenant de la dernière caverne et marchant en direction de la cave. J'avais été réveillé par un bruit anormal, un hurlement qui n'avait pu être poussé que par un être humain, loin derrière moi. J'écoutai en proie à une terreur incoercible, incapable de faire le moindre mouvement alors que le hurlement montait et se prolongeait, avant de se briser horriblement. Je restai immobile pendant un long moment, ne pouvant ni avancer ni reculer, attendant la reprise de ce cri terrifiant. Mais il ne se produisit plus rien. Je retournai enfin dans ma chambre et m'écroulai exténué sur mon lit.

Je me réveillai le lendemain en redoutant le pire.

Mes craintes se confirmèrent vers le milieu de la

matinée. Je vis approcher un groupe d'hommes et de femmes au visage haineux et dont la plupart portaient une arme. Les nouveaux arrivants étaient heureusement conduits par un adjoint du shérif qui parvenait partiellement à les calmer. Bien qu'il ne fût pas muni d'un mandat de perquisition, il demanda à fouiller la maison. Face à une telle foule, refuser eût été une folie. Je ne le tentai même pas. Je sortis et laissai la porte grande ouverte derrière moi. Les villageois se précipitèrent à l'intérieur de la villa. Je pouvais les entendre courir de pièce en pièce, de haut en bas et déplacer tout ce qui les gênait. Je ne protestai pas, car j'étais surveillé de près par trois hommes dont Obed Marsh, le commerçant d'Aylesbury.

Ce fut à lui que je m'adressai finalement d'une voix que je voulais très calme.

— Pourriez-vous me dire ce qui se passe ?

— Vous prétendez ne rien savoir ? demanda-t-il d'un air méprisant.

— Exactement.

— Le fils de Jared More a disparu la nuit dernière. Il avait participé à une fête de l'école. Il est rentré seul par la route. Il devait passer par ici.

Je ne trouvai rien à répondre. Ils croyaient manifestement que le garçon était caché quelque part dans la maison. Je désirais protester mais je ne pouvais pas m'empêcher de songer à l'horrible cri qui m'avait glacé d'horreur dans le tunnel. J'ignorais le nom de son auteur et je savais maintenant que je ne tenais pas à le découvrir. Je pensais que ces fous ne trouveraient pas l'entrée du tunnel car elle était habilement masquée par les rayonnages dans le mur de la plus petite cave. Mais mon cœur sembla cesser de battre pendant toute la durée de la fouille. Je ne me faisais aucune illusion sur mon sort si quelqu'un trouvait un vêtement ou un objet qui eût appartenu au petit garçon.

Encore une fois la Providence empêcha toute découverte. Mais devais-je en redouter une ? J'espérais que mes craintes étaient sans fondement. En vérité, je n'en savais rien, mais d'horribles doutes commençaient à m'assaillir. Comment étais-je venu dans le tunnel ? A quel moment ? Quand je m'étais réveillé, je revenais du bord du gouffre. Qu'avais-je été y faire et *qu'avais-je laissé derrière moi ?*

Par groupe de deux ou trois, les villageois ressortirent les mains vides de la maison. Toute agressivité et toute colère avaient disparu de leur visage, mais ils étaient malheureux et désorientés. Ils s'étaient attendus à découvrir quelque chose et ils étaient profondément déçus. Si l'enfant qui avait disparu n'avait pas été conduit dans la villa des Bishop, personne ne voyait où il pouvait être caché.

Appelés par l'adjoint du shérif qui les avait amenés, les intrus s'éloignaient maintenant de la maison et commençaient à se disperser. Seuls, Bud Perkins et une poignée d'hommes aussi bornés que lui restèrent pour monter la garde.

Pendant plusieurs jours j'eus à affronter la haine des habitants de la vallée envers la villa des Bishop et son seul occupant.

Puis vint une période de relative tranquillité.

Ensuite cette dernière nuit de catastrophe...

Tout commença par une faible manifestation : quelque chose bougeait dans la maison. Je suppose que j'en fus inconsciemment averti avant même d'avoir entendu quoi que ce fût. J'étais en train de parcourir, dans ce diabolique ouvrage de Seth Bishop, une page consacrée aux sujets du Grand Cthulhu, les Etres des profondeurs qui dévoraient des animaux vivants pour réchauffer leur corps froid et reprenaient force et vigueur en pratiquant cette forme de cannibalisme. Je lisais ce récit, donc, quand tout d'un coup je pris conscience d'un événement souterrain, comme si la terre elle-

193

même s'animait et tremblait légèrement, selon des mouvements rythmiques, tandis que, immédiatement, je perçus au loin une faible musique, semblable à celle que j'avais entendue lors de mon premier rêve dans cette maison, jouée par des instruments inconnus sur terre, mais me faisant songer à un concert de flûtes ou de pipeaux, et accompagnée, une fois encore, d'incantations poussées par des gorges d'entités vivantes.

Je ne peux décrire l'effet que cette découverte provoqua sur moi. J'étais encore sous l'empire des événements des semaines écoulées et conditionné pour réagir si une telle occasion se présentait. Avec enthousiasme je décidai sur-le-champ de me mettre le plus tôt possible au service de Celui qui attendait sous la maison. Comme dans un rêve, j'éteignis la lumière du débarras et me glissai dans les ténèbres pour éviter de donner l'éveil aux ennemis qui guettaient au-dehors.

Cependant la musique était trop faible pour être perçue de l'extérieur de la maison. Il ne m'était pas possible de savoir combien de temps elle le resterait. Alors je m'empressai d'aller accomplir la tâche que l'on attendait de moi, avant que l'ennemi ne sût que les occupants des profondes eaux du gouffre allaient surgir dans la maison de la vallée. Mais je ne me rendis pas à la cave. Comme si je suivais un plan établi auparavant, je me glissai dehors par la porte de derrière pour me fondre au milieu des arbres du bois voisin. J'avançai précautionneusement vers un but bien défini. Quelque part devant moi, Bud Perkins montait la garde...

Je ne suis pas certain de ce qui se produisit ensuite.

Ce fut un cauchemar, sans aucun doute. Je n'avais pas encore atteint Bud Perkins que deux coups de feu retentirent. C'était le signal pour avertir ses amis. Je me trouvais à moins d'un mètre de lui dans les ténèbres et les balles me frôlèrent. Lui aussi avait entendu les bruits qui provenaient des entrailles de la terre, car je les percevais maintenant aussi nettement qu'à l'intérieur.

Voilà tout ce dont je me souviens clairement.

Ce sont les événements qui suivirent qui sont flous, même encore aujourd'hui. La foule est revenue, et si les hommes du shérif n'avaient pas été là, je n'aurais pas survécu pour rédiger ma déposition. Je revois cette meute déchaînée et les villageois mettant le feu à la villa. J'y étais rentré mais je dus en ressortir en hâte pour échapper à l'incendie. De l'endroit où je me trouvais, non seulement je vis les flammes dévorer la maison, mais encore je distinguai par intervalles les Etres des profondeurs qui hurlaient désespérément avant de disparaître dans cet horrible brasier, et enfin cette gigantesque créature qui se dressa au milieu du feu en agitant ses tentacules avant de retomber finalement dans ce gouffre infernal en une longue et sinueuse colonne de chair, pour s'évanouir sans laisser la moindre trace. Ce fut à cet instant que l'un de mes voisins jeta de la dynamite dans la maison en feu. Mais le bruit de l'explosion ne s'était pas encore tu que j'entendis comme tous ceux qui entouraient la villa une voix qui chantait dans la nuit : « Ph'nglui mglw'nafh Cthulhu R'lyeh wgagh'nagl fhtagn ! »

Elle annonçait au monde entier que le Grand Cthulhu continuerait à attendre en rêvant dans le refuge subaquatique de R'lyeh.

Ils prétendirent que je me tenais près du cadavre déchiqueté de Bud Perkins et ils me rendirent responsable de toutes sortes d'ignominies. Ils devaient pourtant avoir aperçu, comme moi, les Etres qui se tordaient au milieu des flammes. Ils affirmèrent le contraire et dirent qu'ils n'y avaient vu que moi. Ce dont ils m'accusèrent est trop horrible pour être transcrit. Ce sont des visions de leurs esprits obtus et haineux car ils ne peuvent tout de même pas nier une évidence. Ils témoignèrent contre moi au procès et décidèrent de mon sort.

Ils savent certainement que je ne suis pas responsable des atrocités qui me sont reprochées. Ils savent aussi que Seth Bishop avait pris possession de mon corps et revivait à travers moi, me dictant ma conduite et formant ce lien indissoluble avec les créatures des profondeurs, me forçant à leur porter leur nourriture, tout comme aux jours où il menait sa propre existence et la mettait à leur service. Il avait rejoint les Etres des profondeurs et les innombrables créatures qui se terraient quelque part dans le monde. C'est lui le responsable des méfaits qui me sont reprochés, la disparition du mouton de Bud Perkins, celle du fils de Jared More et de toutes les bêtes enlevées, et enfin la mort de Bud Perkins lui-même. Il fait croire à tout le monde que je suis le coupable. C'est faux. J'accuse Seth Bishop d'être revenu du néant pour servir ces créatures monstrueuses qui ont surgi du fond des mers par le puits de la caverne... Seth Bishop qui avait découvert leur existence, qui leur avait frayé un chemin jusqu'à la surface et qui leur avait consacré sa vie... et la mienne... Seth Bishop qui se cache peut-être dans les profondeurs terrestres, sous les ruines de sa maison, guettant une autre victime qu'il annexera pour « Les » servir jusqu'à la fin des temps.

LE SCEAU DE R'LYEH

1

MON grand-père paternel, que je n'ai jamais vu
autre part que dans une pièce sombre, avait l'habitude
de répéter à mes parents, en parlant de moi, « tenez-le
éloigné de la mer », comme si j'avais eu quelque raison
de me méfier de l'eau, alors que, en fait, elle m'avait
toujours attiré. Il est bien connu que les individus nés
sous un des signes de l'eau — j'appartiens aux Poissons
— possèdent pour l'élément liquide une affinité naturelle. On prétend également, dans un domaine tout à
fait différent, qu'ils sont de bons médiums. En tous cas,
tel était le jugement de mon grand-père, un homme
étrange que je ne saurais décrire, même pour sauver
mon âme, ce qui, à la lumière du jour, est déjà une
chose surprenante. Son conseil avait été souvent répété
à mes parents avant que mon père ne se tuât dans un
accident de la route et, par la suite, il ne le fut pas en
vain car ma mère m'emmena habiter dans les collines,
loin de la vue, du bruit et de la senteur de la mer.

Mais ce qui doit arriver finit toujours par arriver. Je
poursuivais mes études dans une ville du centre quand
ma mère mourut. La semaine suivante, mon oncle
Sylvan décéda à son tour, me laissant tout ce qu'il
possédait. Je ne l'avais jamais rencontré. Il était
l'excentrique de la famille, le phénomène, le mouton à

cinq pattes. Les membres de la communauté familiale ne lui attribuaient que des noms fâcheux et péjoratifs, sauf mon grand-père qui ne parlait jamais de lui sans un soupir de regret. Après sa mort je me retrouvais le dernier descendant en ligne directe de la branche familiale à laquelle appartenait mon grand-père. Il existait bien un grand-oncle qui vivait quelque part dans le monde — en Asie si j'avais bien compris, sans savoir exactement quel métier il exerçait sinon que ce métier était en rapport avec la mer, armateur peut-être —, mais ce grand-oncle n'avait jamais reparu au pays, aussi était-ce naturel que je fusse l'héritier des maisons de l'oncle Sylvan.

Il en laissait deux et toutes deux, par un caprice du hasard, étaient situées au bord de la mer, l'une dans une ville du Massachusetts nommée Innsmouth, l'autre isolée sur la côte à proximité de cette ville. Même après le paiement d'importants droits de succession, il me resta assez d'argent pour me libérer de l'obligation de poursuivre mes études et me permettre de faire ce dont j'avais envie. Et je n'avais envie que d'une chose ! Faire ce qui m'avait été interdit pendant vingt-deux ans, me rendre au bord de la mer et, probablement, y acheter un bateau de pêche, ou un yacht, ou ce qui me plairait.

Mais les choses ne se déroulèrent pas de cette manière. Après avoir réglé la succession avec l'avoué, à Boston, je gagnai Innsmouth, qui me parut une ville étrange, à l'abord peu amical. Les gens que j'y rencontrai, lorsqu'ils apprenaient qui j'étais, souriaient, mais souriaient d'un petit sourire entendu, comme s'ils avaient su, au sujet de mon oncle Sylvan, des choses qu'ils ne tenaient pas à me dire.

Sa demeure d'Innsmouth était la plus petite des deux propriétés de mon oncle. De toute évidence, elle avait été peu habitée à une époque récente. La maison était une sombre et vieille bâtisse. Je découvris avec surprise qu'elle était notre véritable demeure familiale, ayant été construite par mon arrière-grand-père après son retour de Chine où il avait commercé une partie de sa vie, et ensuite habitée longtemps par mon grand-père. Le nom des Phillips jouissait encore dans la ville d'un certain respect mêlé de crainte.

C'était dans son autre maison que mon oncle Sylvan avait passé le plus clair de son temps. Il était âgé seulement de cinquante ans quand il mourut, mais il avait vécu à la manière de mon grand-père, ne fréquentant pratiquement personne et sortant le moins possible de sa sombre demeure qui dominait sur une falaise rocheuse la côte proche d'Innsmouth.

Cette maison n'était pas belle, aux yeux tout au moins d'un amoureux de la beauté, mais elle possédait indéniablement un charme particulier auquel je fus immédiatement sensible. C'était une habitation véritablement marine car le sourd grondement des vagues de l'Atlantique ne cessait de battre ses murs. En outre, un rideau d'arbres la séparait de l'intérieur des terres, alors que sa façade s'ouvrait en grand vers la mer, ses larges fenêtres donnant sur l'est. La maison n'était pas vieille comme l'autre, une trentaine d'années m'avait-on dit, mais elle avait été construite par mon oncle lui-même sur l'emplacement d'une autre bâtisse, beaucoup plus ancienne, qui avait également appartenu à mon arrière-grand-père.

Elle comptait de nombreuses pièces mais seul le vaste cabinet de travail situé en son centre était remarquable. Bien que le reste de la maison ne comportât qu'un seul rez-de-chaussée, rayonnant autour de cette pièce centrale, le cabinet de travail possédait un plafond plus élevé que celui des autres pièces, avec des murs couverts de livres et de curiosités de toutes natures, en particulier des sculptures étranges et suggestives, alternant avec des peintures et des masques primitifs en provenance de toutes les régions du globe et surtout de Polynésie, des anciens royaumes aztèques, mayas et incas, ainsi que de la côte nord-ouest de l'Amérique, autrefois habitée par des tribus indiennes, collection à la fois fascinante et inquiétante, commencée par mon grand-père avant d'être poursuivie et augmentée par mon oncle Sylvan. Un vaste tapis, tissé à la main, et qui montrait une étrange figure octopode, occupait le centre du parquet. Tout le mobilier de la pièce était placé entre les murs et le tapis. Aucune table, aucune chaise, aucun fauteuil ne mordait sur le tapis lui-même.

Il y avait par-dessus tout le reste une sorte de symbolisation qui se retrouvait un peu partout dans la maison. Ici et là, tissé sur les tapis, en commençant par celui du cabinet de travail, sur les tentures ou sur les nappes, on découvrait un motif qui paraissait être un sceau étrange : un dessin circulaire qui rappelait étonnamment le symbole astrologique d'Aquarius, le Verseau, un dessin qui avait dû être conçu dans les temps les plus reculés, quand le Verseau n'avait pas encore la forme définitive que nous lui connaissons de nos jours, montrant en arrière-plan la vague esquisse d'une cité engloutie, contre laquelle, au centre même du cercle, se dressait une créature indescriptible, à la fois octopode et semi-humaine, et qui faisait penser à un poisson en même temps qu'à un saurien. Bien que dessinée en miniature, cette créature était clairement prévue pour représenter un colosse dans l'imagination de ceux qui la regardaient. Enfin, en caractères si fins qu'ils en étaient presque indéchiffrables, des mots sans signification en une langue que je ne connaissais pas entouraient le cercle. Bien que je ne fusse pas capable d'en comprendre le sens, ces mots semblèrent faire résonner au plus profond de mon être une corde commune : « Ph'nglui mglw'nafh Cthulhu R'lyeh wgah'nagl Fhtagn. »

Que cet étrange dessin ait exercé sur moi depuis la première seconde où je le vis la plus forte attraction possible n'est pas très surprenant et pourtant je ne compris sa signification que bien plus tard. Je ne me rendis pas compte non plus de mon invraisemblable attirance pour la mer. Bien que n'étant encore jamais venu dans cette région, j'avais l'impression de rentrer chez moi après une longue absence. De toute manière, mes parents ne m'avaient jamais conduit sur la côte est. Je n'avais même jamais dépassé l'est de l'Ohio. Les seules étendues d'eau qu'il m'avait été donné d'apercevoir étaient le lac Michigan et le lac Huron. J'attribuai cette attirance indéniable à un caprice de l'hérédité. Mes ancêtres avaient vécu au bord de la mer et parfois même sur la mer. Depuis combien de générations ?

J'en connaissais au moins deux mais j'étais loin du compte. Ils étaient en effet marins depuis des siècles quand un événement s'était produit et avait incité mon grand-père à se réfugier à l'intérieur du continent. Il avait redouté la mer et avait inculqué sa répulsion à tous ses descendants.

Je mentionne ce détail pour la compréhension des faits qui vont suivre et que je tiens à relater avant de rejoindre mon peuple. La maison et la mer m'attiraient. Elles représentaient pour moi un véritable foyer et donnaient à ce mot plus de sens que n'en avait possédé l'abri que j'avais partagé familièrement avec mes parents quelques années plus tôt. C'était tout de même étrange et pourtant, plus étrange encore, je ne m'en étonnais pas. Je trouvais même cette situation tout à fait naturelle et ne me posais aucune question à ce sujet.

Quel genre d'homme était mon oncle Sylvan ? Il m'était impossible de le savoir. Je trouvai tout de même une vieille photo de lui prise par un photographe amateur. Elle représentait un jeune homme au visage étonnamment sévère, certainement âgé de moins de vingt ans à en juger par son aspect et dont le physique, non dénué d'attrait, présentait quelque chose de gênant pour ses interlocuteurs, car il avait un visage qui suggérait autre chose que son simple caractère humain, avec un nez plat, une bouche très large et des yeux plutôt globuleux. Il n'y avait pas de photos plus récentes de lui mais je trouvai quelqu'un qui se souvenait de mon oncle quand il se rendait encore à Innsmouth pour faire ses provisions, comme je l'appris en m'arrêtant à la boutique d'Asa Clarke pour acheter de quoi vivre pendant une semaine.

— Vous êtes un Phillips? me demanda le vieux commerçant.

Je répondis par l'affirmative.

— Vous êtes le fils de Sylvan?

— Mon oncle ne s'est jamais marié.

— Ça, c'est lui qui le prétendait, dit-il en souriant. Alors vous êtes le fils de Jared. Comment va-t-il?

— Il est mort.

Le vieil homme secoua la tête.

— Mort, lui aussi? C'était le dernier de cette génération. Et vous...

— Je suis le dernier de la mienne.

— Autrefois les Phillips étaient riches et puissants. Une vieille famille... mais vous êtes au courant.

Je lui affirmai le contraire. J'arrivais de l'ouest et je ne savais pour ainsi dire rien de mes ancêtres.

— C'est vrai?

Il m'observa d'un air incrédule.

— Eh bien, les Phillips formaient une famille aussi ancienne que celle des Marsh. Les ancêtres des uns et des autres étaient associés autrefois. Ils faisaient du commerce avec la Chine. Ils transportaient des marchandises par bateaux, d'ici et de Boston vers l'Orient, Japon, Chine, îles de la Sonde. Ils rapportaient ce qu'ils avaient pu troquer.

Il s'arrêta un instant et pâlit légèrement.

— Ils rapportaient des tas de choses... Oui, des tas de choses.

Il me jeta un regard inquisiteur.

— Vous avez l'intention de vous installer dans les environs ?

Je lui répondis que j'avais hérité et que j'habitais chez mon oncle sur la côte. J'étais à la recherche de domestiques pour entretenir la propriété.

— Vous n'en trouverez pas, dit-il en secouant la tête. La villa est située bien trop loin le long de la côte et dans un endroit trop isolé. S'il y avait encore des Phillips...

Il fit un grand geste de la main en signe de fatalité.

— Mais ils sont presque tous morts en 1928 lors de ces terribles explosions. Vous pourrez peut-être trouver un des Marsh qui accepterait de travailler pour vous. Il y en a encore par ici. Ils ne sont pas tous morts cette nuit-là.

Je ne prêtai pas attention à cette curieuse référence. Mon souci majeur était d'engager quelqu'un pour entretenir ma maison.

— Marsh, répétai-je. Vous pouvez m'en nommer un et me donner son adresse ?

— Je crois, oui, dit-il en esquissant un sourire.

C'est ainsi que je fis la connaissance d'Ada Marsh.

Elle avait vingt-cinq ans, mais certains jours elle paraissait beaucoup plus jeune et certains autres jours beaucoup plus vieille. Je m'étais aussitôt rendu chez elle et je lui avais demandé de venir travailler la journée pour moi. Elle possédait une voiture, un très vieux modèle, et pouvait donc se rendre chez moi et en revenir. D'autre part, la perspective de travailler dans ce qu'elle appela curieusement « la cachette de Sylvan » sembla lui plaire. Elle parut en effet impatiente de commencer et me promit de venir dans la journée, si je le désirais. Elle n'était pas très jolie mais, comme mon oncle, elle possédait à mes yeux un charme étrange, même si elle ne plaisait pas aux autres hommes. Il se dégageait une espèce de chaleur de sa grande bouche aux lèvres charnues, et ses yeux, qui étaient indéniablement froids, s'adoucissaient en m'observant.

Elle vint le lendemain matin. Je compris qu'elle était déjà entrée dans cette maison, car elle s'y promena comme si elle la connaissait.

— Vous êtes déjà venue ! lui lançai-je.

— Les Marsh et les Phillips sont de vieux amis, dit-elle.

Elle me regarda comme si j'avais dû le savoir. Et, en effet, j'eus, à cet instant, l'intime conviction d'avoir toujours su ce qu'elle venait d'affirmer.

— De vieux, de très vieux amis, monsieur Phillips. Leur amitié est aussi ancienne que la terre elle-même. Aussi ancienne que celle de l'eau et du Verseau.

Je la trouvai bizarre. Elle avait été plus d'une fois invitée par mon oncle, j'en étais certain. Et, sans la moindre hésitation, elle était venue travailler pour moi, un curieux sourire aux lèvres — « aussi ancienne que celle de l'eau et du Verseau », son allusion me fit songer au dessin qui s'étendait à nos pieds, et ce fut la première fois, je le sais aujourd'hui en y repensant, que j'éprouvai une certaine impression de malaise. Cette impression fut aussitôt accentuée par les paroles de la jeune femme.

— Vous avez entendu, monsieur Phillips ? me demanda-t-elle.

— Quoi donc ?

— Vous ne me poseriez pas la question si vous aviez entendu.

Elle n'avait pas accepté ma proposition pour se procurer du travail, je le compris rapidement. Elle voulait pouvoir aller et venir à sa guise dans la maison comme je m'en aperçus en rentrant de la plage plus tôt que prévu, et en la trouvant occupée non à travailler mais à fouiller systématiquement la grande pièce centrale. Je la regardai un long moment. Elle déplaçait chaque livre et le feuilletait. Elle écartait soigneusement chaque tableau du mur. Elle soulevait avec précaution chaque sculpture de son socle. Elle déplaçait tout objet qui pouvait constituer une cachette. Au bout d'un moment je ressortis sans bruit et entrai à nouveau, en claquant cette fois la porte. Quand je pénétrai dans la grande pièce, je la trouvai époussetant les meubles avec la plus grande minutie comme si elle s'était livrée à cette occupation durant mon absence.

J'eus tout d'abord envie de la questionner, mais je pensai qu'elle me cacherait la vérité. Au contraire, si elle cherchait quelque chose, je pourrais peut-être essayer de le trouver avant elle. Je ne hasardai donc aucune remarque et le soir même, après son départ, je repris la fouille à l'endroit où elle l'avait interrompue. J'ignorais quel objet je cherchais mais j'évaluai sa taille en fonction des endroits inspectés par Ada. Ce devait être quelque chose de solide, petit, à peine plus grand qu'un livre.

Cela pouvait-il être un livre ? Je me posai la question durant toute la nuit.

Car bien entendu, je ne trouvai rien. Pourtant, je cherchai jusqu'à minuit, avant d'abandonner, complètement exténué, satisfait toutefois d'avoir fouillé plus de cachettes éventuelles qu'Ada ne pourrait le faire le lendemain, même si elle disposait pour ce travail de toute la journée. Je m'assis dans un des fauteuils en surnombre rangés près des murs de cette pièce et fus victime de ma première hallucination. J'emploie ce terme car je n'en vois pas de plus approprié. J'étais loin de dormir quand j'entendis un son qui s'apparentait au souffle d'un gros animal. Je sursautai et j'éprouvai l'impression de sentir la maison, le rocher sur lequel elle était bâtie, et les vagues qui venaient battre les flancs de la falaise, se mettre à l'unisson de ce souffle, comme si ces différents éléments ne constituaient que des parties d'un même et énorme être vivant, et je ressentis l'impression que j'avais souvent éprouvée en regardant les tableaux de certains artistes contemporains, Dale Nichols par exemple, qui représentent la terre et ses reliefs comme les contours d'un homme ou d'une femme en train de dormir, l'impression de me tenir sur le dos ou sur le ventre ou sur le front d'un être si grand que je ne pouvais en deviner la taille.

Je ne saurais dire combien de temps dura cette illusion. La question d'Ada Marsh me revint en tête : « Avez-vous entendu ? » avait-elle dit. Avait-elle fait allusion à ce bruit ? La maison et le rocher qui la soutenait semblaient vivre. Ils étaient aussi agités que la mer qui s'étendait à perte de vue vers l'est. Je restai un long moment à m'interroger sur cette hallucination. La maison avait-elle réellement tremblé au rythme d'une respiration ? Je fus enclin à répondre par l'affirmative et l'attribuai sur le moment à un défaut de construction, en même temps que je mettais sur le compte de ces bruits et de ce mouvement la réticence des habitants de la région à venir travailler dans cette villa.

Le troisième jour je surpris Ada au milieu de ses recherches.

— Que cherchez-vous, Ada ? demandai-je.

Elle me regarda de ses grands yeux candides puis comprit que je l'observais depuis le début.

— Votre oncle cherchait quelque chose. J'ai pensé qu'il avait peut-être trouvé. Ce quelque chose m'intéresse moi aussi. Vous aussi, sans doute, si vous saviez. Vous êtes comme nous. Vous êtes un des nôtres, comme tous les Marsh et les Phillips.

— Qu'est-ce que c'est ?

— Un carnet, un cahier, un journal intime, quelques feuilles… Votre oncle m'en a très peu parlé mais je suis au courant. Il s'absentait très souvent et chaque fois pendant longtemps. Où était-il ? Il avait peut-être atteint son but car je ne l'ai jamais vu s'éloigner de la route.

— Je peux peut-être vous aider à le trouver.

Elle secoua la tête.

— Vous en savez trop peu. Vous êtes, pour ainsi dire... un intrus.

— Vous me renseignerez ?

— Non. On ne parle pas à quelqu'un qui est trop jeune pour comprendre. Non, monsieur Phillips, je ne vous dirai rien. Vous n'êtes pas encore prêt.

Sa réponse m'irrita et me froissa, mais je ne renvoyai pourtant pas la jeune femme. Son attitude était un défi que je décidai de relever.

2

Je tombai deux jours plus tard sur ce que cherchait Ada.

Les papiers de mon oncle étaient cachés dans un endroit qu'elle avait pourtant fouillé, derrière une rangée de livres étranges, dans une cavité masquée par un panneau que je fis pivoter par le plus grand des hasards. Je découvris une sorte de journal composé de feuillets de toute sorte couverts de l'écriture caractéristique de mon oncle. Je pris le tout et courus m'enfermer à clé dans ma chambre comme si j'avais craint un retour d'Ada Marsh alors qu'il était plus de minuit. C'était un réflexe absurde de ma part. Car non seulement elle ne me faisait pas peur, mais elle m'attirait bien plus que je ne l'aurais supposé lors de notre première rencontre.

La découverte de ces documents marqua sans aucun doute un tournant de mon existence. Disons que mes vingt-deux premières années avaient été statiques et placées sur le plan d'une attente indéfinie. Disons aussi que mes premiers jours dans la villa de mon oncle Sylvan constituèrent une période de transition entre cette première phase et ce qui allait suivre. Le tournant de ma destinée fut certainement la découverte et, bien sûr, la lecture de ces feuillets jaunis. Et pourtant que pouvais-je comprendre du premier paragraphe que je parcourus ?

« Sou.banc cont.issue la plus au Nord à Inns. s'étendant jus. env. Singapour. Orig. Ponape ? A. suppose R. dans Pacifique env. Ponape. E. place R. près Inns. Ecrivains le supposent dans profondeurs. Est-ce que R. pourrait occuper le banc cont. de Inns. à Singapour ? »

Le deuxième paragraphe était encore plus déroutant.

« C. qui attend en rêvant à R. est tout, en tout, et partout. Il est à R. devant Inns. et à Ponape. Il est au milieu des Iles et dans les profondeurs. Quel est le lien avec les Etres des profondeurs ? Où eut lieu la première rencontre avec Obad. et Cyrus ? A Ponape ou dans une autre île ? Et comment ? Sur terre ou dans l'eau ? »

Mais les notes de mon oncle ne constituaient pas la totalité de ma trouvaille. D'autres papiers y étaient mêlés dont certains encore plus troublants. Par exemple, une lettre d'un certain Rev. Jabez Lovell Phillips, datée de plus d'un siècle et adressée à une destinataire dont le nom n'était pas mentionné.

« Par un beau jour d'août 1797, le capitaine Obadiah Marsh et son second Cyrus Alcoot Phillips annonçaient le naufrage de leur navire, le *Cory*, perdu avec son équipage au large des îles Marquises. Le capitaine et son second atteignirent Innsmouth à bord d'une chaloupe sans paraître avoir souffert des intempéries ni de la fatigue, bien qu'ils eussent couvert une distance de plusieurs milliers de milles à bord d'une embarcation aussi rudimentaire et incapable de les transporter aussi loin. Aussitôt après se produisit à Innsmouth une série d'événements qui, en l'espace d'une seule génération, transformèrent cette ville en un lieu maudit, car une étrange descendance vint aux Marsh et aux Phillips comme si un maléfice s'était abattu sur leurs familles après l'apparition de deux femmes — comment étaient-elles venues ? — qui devinrent les épouses du capitaine et de son second et donnèrent le jour à une progéniture diabolique que personne ne parvint à mater et contre laquelle mes appels au Seigneur se révélèrent impuissants.

« Qu'est-ce qui rôde dans les eaux d'Innsmouth quand la nuit recouvre la ville ? Des sirènes, disent certains. Pouha, quelle stupidité ! Des sirènes ! Cela ne peut être que la progéniture maudite des Marsh et des Phillips... »

Je ne poursuivis pas la lecture de cette lettre. J'étais curieusement troublé. Je repris le journal de mon oncle et en parcourus les dernières lignes :

« R... est comme je me l'imaginais. La prochaine fois je verrai C... lui-même là où il se trouve actuellement dans les profondeurs, attendant le jour de son retour au pouvoir. »

Mais il n'y avait jamais eu de prochaine fois pour l'oncle Sylvan. Seulement la mort.

Il y avait d'autres paragraphes intéressants, beaucoup d'autres, dans lesquels mon oncle traitait des sujets qui dépassaient mes connaissances en la matière. Il faisait allusion à Cthulhu et R'lyeh, à Hastur et à Lloigor, à Shub-Niggurath et Yog-Sothoth, au plateau de Leng, au *Necronomicon*, aux *Sussex Fragments*, au passage des Marsh et aux abominables hommes des neiges, mais il évoquait principalement le Grand Cthulhu et R'lyeh qu'il transcrivait par C... et R... ainsi que ses vaines recherches pour les retrouver, car mon oncle avait écrit de sa propre main qu'il tentait désespérément de découvrir les refuges et les créatures qui les habitaient. Je ne parvenais pas toujours à saisir le fil de ses pensées car ses notes et son journal étaient écrits pour lui tout seul et il était seul à les comprendre. Quant à moi je n'avais aucune référence sur laquelle me guider.

Je trouvai aussi une carte tracée à la main par quelqu'un qui avait vécu avant mon oncle Sylvan, car elle était très vieille et craquelée. J'étais fasciné par ce

213

bout de papier et pourtant je ne pouvais pas me rendre compte de sa réelle valeur. C'était une carte du monde, mais un monde qui n'était pas celui que je connaissais et que j'avais étudié en classe. Un monde qui existait seulement dans l'imagination de celui qui avait tracé cette carte. Au cœur de l'Asie, par exemple, il avait écrit « Pl. Leng », et un peu au-dessus, là où aurait dû se trouver la Mongolie, « Kadath dans les étendues glacées », ce qui était spécifié comme « un continuum espace-temps ». Dans l'Océan, à l'endroit où aurait dû se situer la Polynésie, figurait la mention « le passage des Marsh », qui, je le supposais, était une ouverture dans le fond de l'Océan. Le Récif du Diable, devant Innsmouth, était indiqué lui aussi, ainsi que Ponape, tous deux très reconnaissables. Mais la majorité des noms qui figuraient sur cette carte m'étaient totalement inconnus.

Je cachai tout ce que j'avais découvert en un lieu qu'Ada Marsh ne penserait pas à fouiller et, malgré l'heure tardive, je retournai dans la pièce centrale. Sans réfléchir, poussé par une impulsion instructive, je feuilletai les ouvrages derrière lesquels j'avais trouvé ce que je cherchais. Je reconnus certains titres mentionnés par mon oncle : les *Sussex Fragments*, les *Manuscrits Pnakotiques*, le *Culte des Goules* du comte d'Erlette, le *livre d'Eibon*, le *Unaussprechlichen Kulten* de von Juntz et bien d'autres encore. Mais, hélas ! ils étaient pour la plupart rédigés en latin et en grec, langues que je lisais mal, contrairement au français et à l'allemand que je déchiffrais aisément. Je parvins cependant à en comprendre suffisamment pour me laisser envahir par une angoisse mêlée à une fébrilité inattendue, comme si j'avais deviné que mon oncle m'avait légué non seulement la maison et ses biens mais aussi la clef d'une époque bien plus ancienne que l'homme lui-même.

Je parcourus les ouvrages jusqu'au petit matin. Le soleil envahissait lentement la pièce et faisait pâlir les lampes que j'avais allumées. Je lus des récits sur les Grands Anciens qui furent les premiers occupants de l'Univers, sur les Dieux Aînés qui avaient combattu et vaincu les Dieux du Mal qui s'étaient rebellés, parmi lesquels le Grand Cthulhu qui se cache au fond des océans, Hastur, qui repose dans le lac d'Hali dans les Hyades, Yog-Sothoth, tous en un et un en tous, Ithaqua, le maître du vent, Lloigor, le rôdeur des étoiles, Cthugha, qui s'est réfugié dans le feu, le grand Azathoth et bien d'autres encore, tous ceux qui furent vaincus et exilés dans des lieux secrets et qui attendent de pouvoir paraître à nouveau un jour prochain, jour où ils surgiront avec leurs serviteurs et une fois encore ils domineront la race humaine et affronteront les Dieux Aînés. Je déchiffrai des textes qui décrivaient les fidèles des Dieux du Mal : les Etres des profondeurs cachés au fond des mers et de toutes les étendues aquatiques, les abominables hommes des neiges du Tibet et du plateau de Leng, les Shantaks, qui volaient à Kadath dans les étendues désertiques sous les ordres du maître du vent, le Wendigo, cousin d'Ithaqua. J'appris leurs rivalités car ils étaient unis et pourtant divisés. Je lus ces récits et d'autres encore. Je dévorai les articles révélant des événements extraordinaires et groupés par mon oncle pour accréditer sans doute la foi dans laquelle il vivait. Je retrouvai dans ces ouvrages ce curieux langage dont une phrase était tissée sur le tapis de la pièce centrale de la maison :

« Ph'nglui mglw'nafh Cthulhu R'lyeh wgah'nagl fhtagn », phrase dont je vis plusieurs fois la traduction dans différents textes : « Dans son refuge à R'lyeh, le Grand Cthulhu attend en rêvant. »

Le but de mon oncle était certainement de trouver R'lyeh, le refuge aquatique de Cthulhu ! Dans la froide lumière du petit jour, je tentai d'arriver à une conclusion. Est-ce que mon oncle avait réellement cru à une telle abondance de mythes ? Ou ses recherches n'étaient-elles qu'un dérivatif à son oisiveté ? La bibliothèque de l'oncle Sylvan contenait de nombreux volumes, échantillonnage de la littérature du monde entier. Toutefois la plus grande partie de sa collection était consacrée aux sciences occultes, recueils traitant d'étranges croyances et de faits bizarres, scientifiquement inexplicables, ouvrages sur des cultes religieux à peu près inconnus. Ils étaient complétés par des albums sur lesquels étaient collés des articles de journaux. J'en parcourus quelques-uns et éprouvai une inquiétude prémonitoire en même temps qu'une joie profonde. Dans des faits rapportés prosaïquement, je trouvai, en effet, des éléments qui augmentaient ma croyance en cette mythologie pour laquelle mon oncle s'était passionné.

Cette mythologie n'était pas, après tout, très nouvelle. Toutes les croyances religieuses, toutes les légendes, quel que soit le degré de civilisation des peuples qui se les transmettent, ont un point de départ commun. Elles se basent toutes sur une lutte entre les forces du mal et les forces du bien. La mythologie de mon oncle présentait elle aussi cette caractéristique. Les Grands Anciens et les Dieux Aînés qui pouvaient, d'après ce que je savais, être les mêmes, représentaient le principe du bien. Les Anciens, le principe du mal. Comme dans de nombreuses croyances, les Dieux Aînés étaient rarement nommés. Les Dieux du mal, eux, étaient souvent appelés par leurs noms car ils étaient adorés et servis par des fidèles sur la terre et sur d'autres planètes. Non seulement ils combattaient les Dieux Aînés, mais ils luttaient les uns contre les autres dans une bataille incessante pour le pouvoir suprême. Ils représentaient, en bref, les forces fondamentales, et certains avaient leur élément ou leur domaine, Cthulhu l'eau, Cthugha, le feu, Ithaqua, l'air, Hastur, les espaces interplanétaires, alors que d'autres appartenaient aux grandes forces primaires, Shub-Niggurath, le Messager des Dieux, la fertilité, Yog-Sothoth le continuum espace-temps, Azathoth la source même de l'enfer.

Cette mythologie me paraissait familière. Les Dieux Aînés auraient pu être la Trinité chrétienne tandis que les Dieux du Mal seraient devenus Satan, Belzébuth, Méphistophélès et Azraël. La coexistence de ces croyances me troublait, mais je savais que, dans l'histoire de l'humanité, les mythes religieux se chevauchent souvent. Toutefois, tout portait à penser que cette adoration envers Cthulhu avait existé non seulement bien avant la mythologie chrétienne mais aussi avant celle de l'ancienne Chine et même avant l'apparition de l'homme, subsistant encore de nos jours, et sans avoir subi de modification, dans les régions les plus reculées de la terre : chez le peuple Tcho-Tcho au fin fond du Tibet, chez les abominables hommes des neiges sur les hauts plateaux d'Asie et chez un étrange peuple de la mer connu sous le nom d'Etres des profondeurs qui étaient des hybrides amphibies, résultat d'un lointain croisement d'humains et de batraciens, et survivant avec des caractéristiques remarquables dans de récents symboles religieux : chez Quetzalcoatl et parmi d'autres divinités aztèques, mayas et incas, dans les idoles de l'île de Pâques, dans les masques de cérémonie des Polynésiens et des Indiens de la côte du nord-ouest, où des statuettes représentant des créatures octopodes et tentaculaires qui sont la marque de Cthulhu, avaient été retrouvées, ce qui portait à admettre que le mythe de Cthulhu remontait aux origines les plus lointaines.

Même en replaçant toutes ces révélations dans le domaine de la théorie et de la spéculation, il me fallait tenir compte de l'impressionnante collection amassée par mon oncle. Les articles de journaux qui paraissaient anodins renforçaient chacun de mes doutes au fur et à mesure qu'ils m'assaillaient car ils constituaient des preuves tangibles, aucun reportage ne provenant de quelque journal à sensations ou à scandales, mais au contraire de revues très sérieuses qui s'appuyaient sur des faits concrets et vérifiés, comme la *Géographie nationale*. Je me posai certaines questions qui restèrent sans réponse.

Qu'était-il arrivé à Johansen et à son navire *Emma* si ce n'est ce qu'il affirmait ? Existait-il une autre explication possible ?

Et pourquoi le gouvernement avait-il envoyé des sous-marins faire exploser le Récif du Diable au large d'Innsmouth ? Et pourquoi avait-on arrêté un certain nombre d'habitants d'Innsmouth que personne n'avait plus jamais revus ? Et, enfin, pourquoi avait-on détruit les bâtiments en bordure de mer, en tuant la plupart de leurs habitants ? Pourquoi, si on refusait de croire aux étranges rites qu'observaient certains résidents d'Innsmouth qui entretenaient des relations diaboliques avec des créatures marines aperçues la nuit près du Récif du Diable ?

Et qu'était-il arrivé à Wilmarth dans les montagnes du Vermont quand il avait été sur le point d'aboutir dans ses recherches sur le culte des Grands Anciens ? Et à certains écrivains qui étaient censés écrire des ouvrages de fiction : Lovecraft, Howard, Barlow, et aux soi-disant scientifiques, comme Fort, quand ils s'étaient trop avancés dans leurs recherches ? Ils sont morts, tous. Morts ou disparus, comme Wilmarth. Morts avant l'heure pour la plupart, alors qu'ils étaient encore relativement jeunes. Mon oncle possédait leurs récits bien que seuls Lovecraft et Fort eussent été largement édités. Je les parcourus avidement de plus en plus troublé, car la fiction de Lovecraft avait, me semblait-il, la même relation avec la vérité que les faits inexplicables par la science, rapportés par Charles Fort. Même si elles paraissaient imaginaires, les histoires de Lovecraft s'appuyaient sur des faits réels, souvent différents de ceux cités par Fort, des faits inhérents aux mythes de l'homme. Elles étaient presque des mythes elles-mêmes, comme l'était le destin de leur auteur, dont la mort prématurée avait déjà donné naissance à de nombreuses légendes parmi lesquelles le fait authentique devenait de plus en plus difficile à discerner.

Mais il était temps pour moi de plonger plus avant dans les secrets de mon oncle en poursuivant la lecture de ses notes. Ce qui était clair, c'était qu'il avait suffisamment cru à cette théorie pour chercher R'lyeh, la cité ou le royaume englouti — que personne ne pouvait décrire et dont on ignorait même si effectivement il couvrait la moitié de la terre, s'étendant de la côte du Massachusetts dans l'Atlantique aux îles polynésiennes dans le Pacifique. R'lyeh où fut banni Cthulhu, mort et cependant vivant, et où « il attend en rêvant » comme l'avait écrit plusieurs fois mon oncle, guettant le jour où il pourra surgir à nouveau de son refuge pour affronter encore une fois les Dieux Aînés, pour imposer sa propre morale à la terre et à l'univers, car n'est-ce pas vrai que si le mal triomphe, alors le mal deviendra la loi de la terre et le bien devra être combattu, la majorité imposant ses normes et tout ce qui serait contraire à ces normes constituant désormais, pour l'humanité, le nouveau mal à éviter.

Mon oncle avait cherché R'lyeh, et il avait décrit sa façon de procéder. Il s'était enfoncé dans les profondeurs de l'Atlantique, en partant de la villa, puis s'était dirigé vers le Récif du Diable et au-delà. Mais il n'indiquait pas comment il y était parvenu. Avait-il utilisé un équipement de plongée ? Une bathysphère ? Je n'avais rien trouvé dans la maison qui pût donner une indication. Ces explorations devaient certainement être la raison de ses longues absences de chez lui. Et pourtant mon oncle ne parlait jamais d'embarcation et nulle part je ne trouvais quoi que ce fût qui eût pu servir à cet usage.

Si R'lyeh était le but des recherches de mon oncle,

quel était donc celui d'Ada Marsh ? Il me fallait absolument le découvrir. A cet effet, le jour suivant, je laissai volontairement traîner quelques notes de mon oncle sur une petite table. Je m'arrangeai pour observer Ada quand elle les découvrit et sa réaction ne me laissa pas le moindre doute. La cachette que j'avais découverte était bien le but de ses fouilles. Elle connaissait l'existence de ces papiers. Mais comment ?

Je décidai de l'interroger. Mais je n'eus pas le temps de prononcer la moindre parole. Elle attaqua la première :

— Vous les avez trouvés ! cria-t-elle.

— Comment connaissiez-vous leur existence ?

— Je savais ce qu'il faisait.

— Ses recherches ?

Elle hocha la tête.

— Vous n'y croyez tout de même pas ? protestai-je.

— Comment pouvez-vous être aussi stupide ? lança-t-elle rageusement. Vos parents ne vous ont-ils donc rien appris ? Votre grand-père non plus ? Comment peuvent-ils vous avoir élevé dans l'ignorance ?

Elle s'approcha de moi en brandissant les feuilles que j'avais laissé traîner.

— Montrez-moi les autres.

Je secouai négativement la tête.

— Je vous en prie ! Elles ne vous seront d'aucune utilité.

— C'est ce que nous verrons.

— Dites-moi au moins s'il avait commencé ses recherches.

— Oui. Mais je ne sais pas comment. Je n'ai trouvé ni tenue de plongée ni bateau.

Elle me lança un regard dans lequel la pitié se mêlait au mépris.

— Vous n'avez pas encore lu tout ce qu'il a écrit. Vous n'avez pas étudié les livres. Savez-vous sur quoi vous vous tenez ?

220

— Sur un tapis.

— Non, non, ce dessin, ce motif ! Vous le trouvez partout. Vous ne savez donc pas pourquoi ? Parce que c'est le sceau de R'lyeh ! Il avait au moins appris ça il y a des années et il avait été fier de le reproduire un peu partout. Vous vous tenez sur ce que vous cherchez. Continuez à fouiller et vous trouverez sa bague.

3

CE jour-là, après le départ d'Ada Marsh, je me plongeai à nouveau dans les papiers de mon oncle. Je n'interrompis ma lecture que longtemps après. J'étais passé rapidement sur la majorité d'entre eux et m'étais attardé longuement sur quelques-uns en particulier. J'avais peine à croire ce que je découvrais. Pourtant, non seulement mon oncle gardait une foi absolue, mais encore il avait décidé d'y consacrer son activité. Dès son plus jeune âge il s'était voué à la recherche de ce mystérieux royaume. Il professait ouvertement son adoration envers Cthulhu et, ce qui était profondément impressionnant, ses récits contenaient de nombreuses allusions à des rencontres avec des hommes — ou des créatures qui n'étaient pas des hommes, je ne pouvais me prononcer — qui partageaient ses croyances et qui étaient esclaves de cette mythologie surgie des temps les plus reculés, rencontres qui auraient eu lieu dans les profondeurs des océans ou dans les rues d'Arkham la ville hantée, cette vieille cité aux toits en croupe, située non loin de la côte sur la rivière Miskatourque près d'Innsmouth, ou encore dans les environs de Dunwich et à Innsmouth même.

En dépit de mon incrédulité, j'éprouvais une impression de vérité qu'il m'était impossible de chasser. La raison en était peut-être les insinuations étranges qui parsemaient les notes de mon oncle — les derniers exposés qui ne prenaient un sens que par référence à ses propres connaissances et qui n'étaient jamais clairs car il possédait trop bien son sujet pour s'attarder à des précisions — ainsi que l'allusion aux mariages profanes d'Obadiah Marsh et de « trois autres » parmi lesquels peut-être un Phillips, et aussi la découverte des photographies des femmes Marsh, celle de la veuve d'Obadiah, une femme au visage curieusement écrasé, à la peau très sombre, avec une grande bouche aux lèvres très minces, et celle des jeunes Marsh qui ressemblaient toutes étrangement à leur mère, et enfin les références au sautillement particulier si caractéristique chez les descendants des survivants du naufrage du *Cory* comme l'écrivait l'oncle Sylvan. Ce qu'il sous-entendait était évident ! Obadiah Marsh avait épousé à Ponape une femme qui, bien qu'elle habitât la région, n'était pas polynésienne et appartenait à une race marine seulement à demi humaine, et ses enfants et les enfants de ses enfants avaient porté les stigmates de ce mariage qui avait conduit à l'holocauste d'Innsmouth en 1928 et à la destruction d'un si grand nombre des membres des anciennes familles de la ville. Bien que mon oncle eût utilisé des termes simples et familiers, l'horreur se dégageait de chaque ligne et l'annonce d'un désastre effroyable se cachait derrière chaque phrase et chaque paragraphe de son récit.

Car ceux dont il mentionnait le nom étaient liés aux Etres des profondeurs et, comme ces derniers, ils étaient amphibies. Il n'indiquait pas à quelle époque remontait cette caractéristique héréditaire et il ne précisait pas non plus ses propres rapports avec ces créatures. Le capitaine Obadiah Marsh, et sans doute aussi Cyrus Phillips et deux autres membres de l'équipage du *Cory* qui étaient revenus de Ponape, ne montraient pas les mêmes particularités que leurs femmes et leurs enfants. Personne ne pouvait dire si ce type caractéristique s'était transmis de génération en génération. Que voulait dire Ada Marsh quand elle m'avait lancé : « Vous êtes un des nôtres ! » Ou avait-elle fait allusion à un secret plus profond ? Je suppose que la répulsion de mon grand-père pour la mer était due à sa connaissance des desseins de mon père. Il avait su, lui, résister victorieusement à ce sombre héritage.

Les notes de mon oncle étaient à la fois trop prolixes pour donner un récit précis et trop sommaires pour effacer toute incrédulité. Ce qui me troublait le plus était la répétition des phrases où il qualifiait sa maison de « refuge », de « point de contact », « d'ouverture vers celui qui gisait en dessous ». D'autre part, les hypothèses sur le « souffle » de la maison et du rocher qui la soutenait, si fréquentes dans les premières pages, n'apparaissaient plus par la suite. Ses révélations étaient incroyables et intrigantes, magnifiques et effrayantes. Elles m'emplissaient de crainte et me donnaient en même temps une envie furieuse de les rejeter et un vif désir de les accepter et de les approfondir.

Je furetai partout mais je ne découvris rien de nouveau. Les habitants d'Innsmouth restaient muets à mes questions. Certains d'entre eux me redoutaient. Ils traversaient ostensiblement la rue à mon approche. Dans le quartier italien, les femmes se signaient comme pour se protéger du diable. Personne n'accepta de me donner des renseignements. Et même à la bibliothèque publique je ne pus obtenir ni livres ni dossiers qui pussent m'être utiles. Le fonctionnaire m'expliqua en effet qu'ils avaient été confisqués puis détruits par des représentants du gouvernement, après les explosions de 1928. Je cherchai ailleurs et découvris de sombres secrets à Arkham et à Dunwich. Finalement, c'est dans la grande bibliothèque de l'Université miskatonique que je trouvai la source de tous les ouvrages sur ces

Le masque de Cthulhu. 8.

croyances diaboliques : le mystérieux *Necronomicon* de l'Arabe Abdul Alhazred. Je n'obtins l'autorisation de le parcourir qu'en présence du directeur adjoint de la bibliothèque.

Je découvris la bague de mon oncle deux semaines après avoir mis la main sur ses papiers. Elle se trouvait dans la dernière cachette que je pouvais concevoir, cachette qui était pourtant la plus logique : un petit colis contenant ses effets personnels, rapportés sans doute par l'entrepreneur des pompes funèbres et resté enveloppé dans un tiroir du bureau. Cette bague se composait d'un anneau d'argent assez gros et qui portait une énorme pierre pareille à une perle sur laquelle était incrusté le sceau de R'lyeh.

Je l'examinai attentivement. Elle n'avait rien d'extraordinaire si ce n'était sa taille. Cependant, quand je la passai machinalement à mon doigt, ce geste entraîna des conséquences inimaginables. Je finissais à peine de la glisser à mon index que j'eus l'impression d'évoluer dans un monde aux dimensions différentes comme si la ligne d'horizon s'éloignait indéfiniment. Tous mes sens se trouvèrent décuplés. Je pris tout d'abord conscience d'une légère oscillation de la maison et du rocher, qui s'harmonisait avec le lent mouvement de la mer, comme si la maison et le rocher sur lequel elle était construite s'élevaient et s'abaissaient suivant le va-et-vient de la mer tandis que s'entendaient sous la bâtisse elle-même le flux et le reflux de l'eau.

Au même moment, et ce fut peut-être la sensation la plus importante, je pris conscience d'un éveil psychique. Avec cet anneau au doigt, je découvrais la pression de forces invisibles, d'une puissance invraisemblable, comme si la maison devenait le pôle d'attraction de principes qui dépassaient l'imagination. J'avais l'impression d'être un aimant attirant à lui les forces des éléments qui l'entouraient et ces forces se ruaient sur moi avec une telle violence que je me sentais comme une petite île au milieu de l'Océan, pris dans une tourmente effroyable, tandis qu'un vacarme infernal m'assourdissait jusqu'au moment où j'entendis presque avec soulagement une voix rauque et horrible mi-humaine et mi-animale qui poussait une affreuse lamentation non pas à côté de moi, ni au-dessus, mais en dessous.

J'arrachai l'anneau de mon doigt et tout disparut immédiatement. La maison et le rocher retrouvèrent leur tranquillité. Les bruits du vent et de la mer qui m'assaillaient de toutes parts s'estompèrent sur-le-champ. La voix que j'avais entendue s'apaisa et se tut. La perception extra-sensorielle m'avait abandonné. Tout semblait attendre mon prochain acte. Ainsi, la bague de mon oncle défunt était un talisman et un anneau de sorcellerie. C'était la clef de sa connaissance et le sésame d'un autre monde.

Ce fut avec l'aide de l'anneau que je découvris le passage qu'empruntait mon oncle pour rejoindre la mer. J'avais longuement examiné le chemin qui conduisait à la plage mais il ne montrait aucune trace d'un usage régulier. Il y avait aussi des sentiers qui suivaient la pente de la falaise. A certains endroits des marches avaient été creusées dans le rocher permettant de se rendre directement de la maison à la mer, mais il n'existait aucun emplacement par lequel on eût pu embarquer à bord d'un bateau et la côte était escarpée. Je me baignai plusieurs fois à cet endroit en éprouvant un étrange sentiment d'exaltation, tellement j'avais plaisir à me trouver dans l'eau. Mais la côte était parsemée de rochers et les plages se trouvaient autour des anses, au nord et au sud du promontoire dont elles étaient assez éloignées, à une trop grande distance pour les atteindre en nageant, sauf pour un excellent nageur, tel que je me découvris à ma grande surprise.

J'avais pensé interroger Ada Marsh au sujet de la bague. C'était elle qui m'avait révélé son existence, mais depuis le jour où je lui avais refusé l'accès aux papiers de mon oncle, elle avait cessé de venir à la maison. A vrai dire je l'avais aperçue de temps en temps rôdant dans les environs, où j'avais repéré sa voiture garée le long du chemin conduisant à la propriété et qui m'indiquait qu'elle surveillait toujours le voisinage. Je m'étais rendu une fois à Innsmouth pour lui parler mais j'avais trouvé sa maison vide, et mes questions à son sujet avaient fait naître l'hostilité des voisins que j'interrogeais, pour m'attirer ensuite des regards lourds et menaçants que j'avais du mal à interpréter de la part des traîne-savates que je rencontrais dans les ruelles qui bordaient la côte.

Ce ne fut donc pas grâce à Ada que je découvris le passage utilisé par mon oncle. J'avais glissé l'anneau à mon doigt et, attiré comme toujours par l'Océan, décidé de me rendre au bord de l'eau en utilisant l'escalier dans les rochers. Quand, alors que je traversais la pièce centrale, j'éprouvai soudain l'impulsion irrésistible d'interrompre ma marche et de ne pas sortir de la maison, tellement était puissante l'influence de l'anneau.

Je cessai de lutter car je reconnus la manifestation d'une force psychique, et demeurai sur place, sachant que j'allais être guidé, ce qui se produisit en effet quand je fus attiré vers une statuette de bois fixée sur une espèce de piédestal contre le mur de la pièce, œuvre primitive qui représentait un monstrueux hybride de batracien. J'obéis à cette impulsion, m'approchai de la statuette, la saisis, appuyai, puis tirai, et finalement tentai de la tourner vers la droite, puis vers la gauche. Cette dernière tentative fut la bonne.

J'entendis un cliquetis de chaînes et le déclenchement d'un mécanisme, tandis que la partie du sol recouverte du tapis portant le sceau de R'lyeh, se soulevait comme une trappe. Je m'approchai anxieusement de l'ouverture en proie à une excitation que je ne parvenais plus à maîtriser. Je découvris une espèce de puits, un trou béant dans les ténèbres duquel s'enfonçait un escalier en spirale dont les marches avaient été taillées dans le rocher sur lequel était bâtie la maison. Conduisait-il à la mer ? Je pris dans la bibliothèque un livre d'Alexandre Dumas et le jetai dans le trou. Je guettai le bruit de sa chute. Il vint enfin : un plouf caractéristique et terriblement lointain.

Alors avec la plus grande précaution, j'entrepris l'interminable descente, respirant l'odeur de la mer. Je ne m'étonnai plus d'avoir trouvé cette odeur si imprégnée dans la maison ; descente au cœur de ténèbres glaciales jusqu'au moment où je rencontrai de la mousse sur le bas des parois et sur les marches sous mes pieds, avec, tout en dessous, le clapotis de l'eau sans cesse agitée, le flux et le reflux de l'Océan, jusqu'à ce que je parvienne au pied de l'escalier, au bord même de l'eau, au seuil d'une caverne si vaste qu'elle aurait pu contenir la maison où avait vécu mon oncle Sylvan. Je compris que cette caverne était le passage par lequel mon oncle gagnait l'Océan, celui-ci et pas un autre. J'étais toutefois surpris de n'apercevoir aucune trace de bateau ou d'équipement de plongée. Je ne vis que des empreintes de pas et, à la lueur des allumettes que je grattai, quelque chose d'autre, de longues marques traînantes et des traces humaines où une monstrueuse entité s'était arrêtée, traces qui me firent penser, tandis que je frissonnais d'horreur et que mes cheveux se dressaient sur ma tête, à quelqu'une de ces monstrueuses statuettes qui décoraient la pièce centrale de la villa et qui avaient dû être rapportées des mystérieuses îles de Polynésie par mon oncle Sylvan ou par l'un de ses ancêtres.

Je ne saurais dire combien de temps je restai dans la caverne. Car, debout au bord de l'eau, l'anneau à mon doigt, je percevais des sons qui provenaient des profondeurs de la mer, des sons qui prouvaient l'existence d'une autre vie et venaient de très très loin à l'extérieur, sans doute de l'Océan lui-même et d'encore plus profond, ce qui me fit supposer l'existence d'un passage vers le large, soit immédiatement à mon niveau, par un tunnel submergé, soit en dessous de ce niveau, car la caverne où je me trouvais était limitée, aussi loin que je pouvais voir à la faible lueur de mes allumettes, par une paroi de solide rocher, alors que le mouvement de la surface de l'eau correspondait au mouvement de la mer, ce qui ne pouvait pas être une simple coïncidence. Il existait un passage et il me fallait le découvrir le plus rapidement possible.

Je gravis à nouveau l'escalier, refermai la trappe et me rendis immédiatement en voiture à Boston. Je rentrai tard dans la nuit en rapportant un équipement de plongée et une bouteille d'oxygène, prêt à explorer dès le lendemain le fond de la mer. Je ne pris pas la peine d'ôter la bague de mon doigt et cette nuit-là je fis de merveilleux rêves, je voyais des cités inconnues se dresser sur des étoiles lointaines ou dans des régions inexplorées de la terre, dans l'Antarctique inconnu, dans les montagnes du Tibet ou au fond des mers. Je me promenais entre des habitations d'une étonnante beauté, parmi des êtres de mon espèce, au milieu de créatures différentes, certaines qui me paraissaient des amis, certaines dont le seul aspect m'aurait glacé le sang si je les avais aperçues dans d'autres conditions. Tout, en ce monde nocturne, était au service des Grands Anciens dont nous étions les sujets. Pendant toute la nuit, je rêvai d'autres mondes, d'autres royaumes, de nouvelles et incroyables sensations et de créatures tentaculaires auxquelles nous obéissions et que nous adorions. Je rêvai sans cesse et je me réveillai le lendemain matin complètement épuisé et cependant tout ragaillardi, comme si je m'étais dépensé pendant mes rêves tout en emmagasinant des forces incroyables pour les épreuves à venir.

J'ignorais que j'étais sur le point de faire une découverte beaucoup plus importante.

En fin d'après-midi je descendis dans la caverne, enfilai ma tenue de plongée, fixai à mes pieds une paire de palmes, attachai la bouteille d'oxygène sur mon dos et gagnai le bord de l'eau, en dessous de la maison. Maintenant encore, je trouve difficile de décrire ce qui m'advint, sans provoquer la stupeur et l'incrédulité. Je me glissai dans l'eau, descendis au fond et avançai vers le large, par un passage haut plusieurs fois comme un homme, j'avançai, avançai encore jusqu'au moment où je parvins au bout du passage et où je me retrouvai soudain sans point d'appui, tombant doucement à travers l'eau opaque, jusqu'au fond de la mer, un monde de rocher, de sable et de plantes aquatiques qui ondulaient étrangement dans la faible lumière qui pénétrait jusqu'à cette profondeur.

Je pris conscience de la pression de l'eau et me demandai si le poids de mon masque et de ma bouteille d'oxygène me permettrait de remonter à la surface quand le moment en serait venu. Je pensai un instant qu'il serait peut-être prudent de repérer un endroit de la côte où il me serait facile d'aborder. Mais en même temps, je cédai à l'irrésistible impulsion de nager vers le large en m'éloignant de la côte et en me dirigeant vers le sud, au large d'Innsmouth.

J'éprouvais le sentiment soudain d'être attiré comme par un aimant, même à l'encontre de mon jugement, car je n'emportais pas une grosse réserve d'oxygène et ma bouteille serait rapidement vide si je m'éloignais trop du rivage. Je le savais et pourtant je ne pus m'empêcher de nager vers la haute mer. Tout se passait comme si une puissance occulte plus forte que ma volonté m'entraînait toujours plus loin et plus bas. Je vis le fond de la mer s'incliner de plus en plus vers le sud-est de la maison. Je suivis cette direction en progressant d'une manière régulière, sans marquer de temps d'arrêt, bien que je me sentisse gagné par une sourde panique : « Il faut que je fasse demi-tour, que je cherche mon chemin pour rentrer. » Le retour à la caverne était d'ores et déjà très aléatoire malgré la poussée de l'eau qui faciliterait ma remontée, atteindre le pied de l'escalier qui conduisait à la maison, au moment où mon oxygène aurait été épuisé, serait certainement impossible si je ne faisais pas demi-tour immédiatement.

Cependant quelque chose au fond de moi-même m'empêcha d'abandonner. Je poursuivis ma progression comme si j'obéissais à une force qui me dominait. Je n'avais pas le choix, il me fallait continuer alors que mon inquiétude grandissait sans cesse et que j'étais partagé entre ce que je « voulais » faire et ce que je « devais » faire tandis que l'oxygène de ma bouteille diminuait au fur et à mesure que s'égrenaient les secondes. A plusieurs reprises je m'efforçai de réagir et de nager vigoureusement vers la surface mais bien que ces tentatives n'eussent présenté aucune difficulté — en effet je nageais avec une aisance miraculeuse — je me retrouvai aussitôt en direction du fond de l'océan, nageant vigoureusement vers le large.

Je m'arrêtai une seule fois et regardai autour de moi essayant en vain de percer les profondeurs de l'océan. Je crus voir un poisson vert pâle évoluer dans mon sillage. Puis je m'imaginai qu'il s'agissait d'une sirène car j'aperçus une longue chevelure blonde flotter librement au fil de l'eau. Mais je la perdis aussitôt de vue, cachée par les plantes aquatiques des profondeurs. Je ne pouvais pas me permettre de m'arrêter longtemps. J'étais toujours attiré vers le large, jusqu'au moment où je sus que ma réserve d'oxygène était presque épuisée, tandis que ma respiration devenait de plus en plus difficile. Alors je fis un effort désespéré pour rejoindre la surface... et me retrouvai une fois de plus en train de retomber de l'endroit que j'avais essayé d'atteindre, tombant sans fin jusqu'à une crevasse dans le fond de l'océan.

Puis, alors que j'allais perdre conscience, je devinai l'approche de quelque chose, des mains saisissaient mon masque et ma bouteille d'oxygène. Ce n'était pas un poisson que j'avais aperçu, ni une sirène, mais le corps nu d'Ada Marsh, ses cheveux dénoués flottant librement, Ada qui nageait avec l'aisance et la facilité des habitants des fonds marins.

4

LES événements qui suivirent cette vision de rêve furent absolument incroyables. Dans ma demi-conscience, je sentis plus que je ne vis Ada m'ôter mon masque et me dégager de la bouteille d'oxygène. Elle laissa couler le tout au fond de la mer. Puis elle se retourna lentement vers moi. Je me retrouvai en train de nager, avec Ada qui m'entraînait de ses doigts forts et capables, non pas vers la surface mais toujours plus bas, toujours plus au large. Je nageais avec autant de facilité que ma compagne. Comme elle, j'ouvrais et fermais la bouche comme pour respirer malgré l'eau... *et j'y parvenais.* Je me découvrais un don ancestral qui m'ouvrait les vastes étendues sous-marines. Je pouvais respirer comme une créature amphibie, sans avoir à remonter à la surface.

Ada me guidait et je la suivais. Je nageais vite mais elle était plus rapide que moi. Je n'avançais plus maladroitement comme je le faisais un peu plus tôt, lorsque j'étais prisonnier de mon équipement de plongée. Plus rien ne comptait que cette extraordinaire propulsion avec les bras et les jambes, faits de toute évidence pour se mouvoir dans l'eau, et cette jo'
brutale, enivrante, de nager sans la moindre contrain

vers un but que je savais inconsciemment être tout proche.

Ada ouvrait la voie et je la suivais, alors que, loin au-dessus de nous, au-delà de l'épaisseur de l'eau, le soleil avait disparu vers l'ouest, le jour avait fini, un dernier éclat de lumière s'était éteint vers le couchant et la lune brillait faiblement dans le ciel.

A ce moment, nous remontâmes vers la surface le long d'une paroi rocheuse qui délimitait un continent ou une île, je n'aurais su le dire. Nous émergeâmes de l'eau, très loin de la côte, sur un rocher affleurant la surface de l'océan, où il m'était possible d'apercevoir, loin à l'est, le scintillement des lumières d'une ville, un port sans doute. En le regardant, de l'endroit où Ada et moi-même étions assis dans le clair de lune, avec des bateaux qui interposaient de temps en temps leur ombre entre nous et le port, aussi bien qu'entre nous et l'horizon à l'est, je devinai où nous étions : nous nous trouvions sur le Récif du Diable, au large d'Innsmouth, cet îlot sur lequel nos ancêtres avaient côtoyé nos frères des profondeurs avant l'effroyable destruction de 1928.

— Comment pouviez-vous tout ignorer ? demanda gentiment Ada. Vous auriez pu mourir avec votre équipement qui vous étouffait. Si je n'étais pas entrée dans la maison...

— Je n'avais aucun moyen de savoir, dis-je.

— Comment voulez-vous que votre oncle ait pu explorer les profondeurs sous-marines si ce n'est de cette façon ?

Elle poursuivait les mêmes recherches que mon oncle et moi aussi dorénavant : découvrir le sceau de R'lyeh et ensuite « celui qui dormait dans les profondeurs », le ....eur à l'appel de qui j'avais répondu, le Grand ...... Il ne se trouvait pas au large d'Innsmouth, ...it certaine. Pour me le prouver elle m'en...... au vers le fond. Nous nous enfonçâmes le .... du Diable et Ada me montra les ruines de la colossale structure mégalithique détruite lors du bombardement sous-marin de 1928, l'endroit où, bien des années auparavant, les Marsh et les Phillips avaient entretenu des relations avec les Etres des profondeurs. Nous nageâmes au milieu des vestiges de ce qui avait été autrefois une cité grandiose, et où j'aperçus le premier d'entre « Eux ». Sa vision me remplit d'horreur. Il avait l'aspect d'une grenouille qui aurait étrangement rappelé un être humain et nageait avec des mouvements saccadés identiques à ceux d'un batracien. Cette créature nous observa de ses gros yeux globuleux, mais ne se montra pas effrayée, elle nous avait reconnus comme ses frères de l'extérieur. Nous plongeâmes plus au cœur de la cité, vers le fond même de l'océan. La destruction était pour ainsi dire totale. Bien d'autres endroits identiques avaient ainsi été détruits par des hommes ridiculement effrayés et qui s'efforçaient d'empêcher le retour du Grand Cthulhu.

Puis nous remontâmes et nous rentrâmes à la maison où Ada avait laissé ses vêtements. Nous conclûmes une alliance formelle et nous décidâmes de nous rendre à Ponape pour y entreprendre des recherches plus approfondies.

Nous partîmes pour Ponape deux semaines plus tard à bord d'un bateau que nous avions loué, résolus à accomplir notre mission. Nous n'en parlâmes pas à l'équipage de peur de passer pour fous et de voir s'enfuir nos marins. Nous étions persuadés de pouvoir mener nos recherches à bien. Nous savions que, quelque part dans les îles inexplorées de Polynésie, nous trouverions ce que nous cherchions et que, l'ayant trouvé, nous aurions la possibilité de rejoindre nos frères de la mer qui servent nos maîtres en attendant le jour de leur résurrection. Le jour où Cthulhu, Hastur, Lloigor et Yog-Sothoth se dresseront à nouveau et vaincront les Dieux Aînés au cours du combat titanesque qui se produira inévitablement.

Nous établîmes notre quartier général à Ponape. Quelquefois nous partions seuls à la nage, d'autres fois nous utilisions le bateau sans prendre garde à la curiosité de l'équipage. Nous fouillions les fonds voisins. Nous restâmes parfois en mer pendant des jours et des jours. Ma métamorphose fut complète au bout d'un certain temps. Je n'ose écrire comment nous subsistions durant ces longs séjours sous l'eau, ni ce que nous mangions. Il se produisit un jour un accident d'avion et... Mais je préfère passer. Qu'il me suffise de dire que nous survécûmes et que je me surprenais à accomplir des actes qui m'auraient paru bestiaux une année plus tôt, et aussi que rien ne comptait plus pour nous, hors notre recherche, que rien ne nous préoccupait, sauf notre subsistance et le but qui miroitait devant nos yeux.

Comment pourrais-je décrire ce que nous découvrîmes sans attirer le scepticisme ? Les grandes cités du fond de l'océan et la plus grande d'entre elles, la plus ancienne, celle qui s'élève au large de Ponape. C'était dans cette dernière que les Etres des profondeurs étaient les plus nombreux. Nous nous y promenâmes à notre guise pendant des jours parmi les tours et les hauts bâtiments de pierre, les minarets et les dômes de cette cité engloutie, perdue au milieu de la faune aquatique du fond des mers. Nous sympathisâmes avec les Etres des profondeurs qui avaient l'aspect général d'octopodes mais qui n'en étaient pas et qui luttaient contre les requins et d'autres ennemis, comme nous étions obligés de le faire de temps en temps. Ils vivaient uniquement pour servir « Celui » dont on pouvait entendre l'appel et dont personne ne savait où il attendait en rêvant l'heure du retour de sa splendeur.

Comment pourrais-je décrire nos incessantes recherches, de cité en cité, de bâtiment en bâtiment ? Il nous fallait trouver le sceau de R'lyeh sous lequel « Il » se tenait, sinon se poursuivrait une ronde sans fin de jours et de nuits, pendant lesquels nous nagions, soutenus par un fol espoir et la proximité du but à atteindre, plus voisin de jour en jour. Nul ne pouvait dire ce que nous réservait chaque nouvelle journée qui s'écoulait. D'autre part le bateau que nous avions loué se révélait encombrant, car nous étions obligés de quitter Ponape en bateau, avant de l'abandonner, caché près du rivage d'une île, pour nous enfoncer subrepticement dans l'océan, ce qui nous déplaisait fort. En effet, nos marins devenaient de plus en plus curieux, croyant que nous cherchions quelque trésor englouti, trésor dont ils exigeaient leur part. Il était difficile d'éviter leurs questions et leurs soupçons qui s'aggravaient sans cesse.

Nous avons poursuivi nos recherches pendant trois mois, et avant-hier nous avons jeté l'ancre près d'une étrange île déserte, loin de tout lieu civilisé. La surface de cette île est complètement nue. Il n'y pousse rien. Elle semble être le résultat d'un soulèvement de roche basaltique, qui devait autrefois se dresser nettement au-dessus du niveau de la mer mais a sans doute été raboté par des bombardements, probablement au cours de la dernière guerre. Nous avons laissé notre bateau, nous avons effectué le tour de l'île puis nous nous sommes enfoncés dans les flots. Il avait existé, ici aussi, une cité des Etres des profondeurs. Mais elle avait, elle aussi, subi des bombardements.

Mais bien que cette cité sous l'île noire eût beaucoup souffert, elle n'était pas totalement en ruine et elle s'étendait de tous côtés en zones intactes. Et là, dans l'un des plus anciens bâtiments monolithiques, nous trouvâmes enfin ce que nous cherchions. Au milieu d'une vaste salle, d'une hauteur de plusieurs étages nous découvrîmes une immense dalle sur laquelle était gravé le motif que l'on rencontrait un peu partout dans la maison de mon oncle : le sceau de R'lyeh. En nous tenant sur la dalle nous pûmes entendre un son qui provenait des profondeurs, le bruit produit par le mouvement d'une énorme créature amorphe, sans repos comme la mer, au sommeil agité de rêves. Nous sûmes que nous avions atteint notre but et que nous pouvions nous mettre pour l'éternité au service de « Celui qui se redressera un jour », celui qui rêve dans les entrailles terrestres de dominer non seulement la terre mais l'univers tout entier, celui qui aura besoin d'êtres comme Ada et moi pour satisfaire ses volontés jusqu'à l'heure de sa résurrection.

A l'heure où j'écris ces lignes, nous sommes toujours devant cette île. J'ai relaté nos aventures au cas où nous ne pourrions pas rejoindre le bateau. Il est tard, et demain, nous plongerons à nouveau, pour trouver un moyen, si possible, d'ouvrir le sceau. Cette immense dalle a-t-elle été placée par les Dieux Aînés quand ils ont banni le Grand Cthulhu ? Et oserons-nous la soulever pour descendre près de Celui qui attend en rêvant ?

Nous sommes prêts, Ada et moi, et bientôt un troisième membre de la famille qui naîtra dans son milieu naturel, à nous mettre au service du Grand Cthulhu. Car nous avons entendu son appel, nous lui avons répondu et nous ne sommes pas seuls. Il y en a d'autres qui accourent de toutes les régions de la terre, descendant tous d'un croisement d'hommes avec des femmes de la mer. Bientôt les océans nous appartiendront, puis la terre tout entière, et ensuite... et nous connaîtrons la gloire et la puissance pour l'éternité.

EXTRAIT DU *TIMES* DE SINGAPOUR
DU 7 NOVEMBRE 1947.

L'équipage du navire appelé le Rogers Clark a été remis en liberté aujourd'hui après l'enquête sur la disparition de M. et Mme Phillips qui avaient loué le bateau pour se livrer à certaines recherches autour de la Polynésie. Les Phillips ont été aperçus pour la dernière fois près d'une île située approximativement à 47°53' de latitude Sud et 127°37' de longitude Ouest. Ils ont embarqué à bord d'une petite chaloupe et ont contourné l'île pour y prendre pied sur la rive opposée. Ensuite il semblerait qu'ils aient plongé dans l'océan car l'équipage affirme avoir aperçu une haute gerbe d'eau près de la rive opposée de l'îlot. Le capitaine du Rogers Clark et son second qui se trouvaient à ce moment-là sur la passerelle ont vu leurs clients soulevés par un immense geyser avant de disparaître dans les flots. M. et Mme Phillips n'ont pas reparu, bien que le navire fût resté sur les lieux pendant plusieurs heures. On a retrouvé dans la chaloupe les vêtements de M. et Mme Phillips ; un journal intime rédigé par M. Phillips, mais relatant des faits manifestement imaginaires, a été découvert dans sa cabine et remis à la police de Singapour par le capitaine Morton. On n'a retrouvé aucune trace des disparus...

TABLE

H. P. LOVECRAFT

L'HORREUR DANS LE MUSÉE
L'HORREUR DANS LE CIMETIÈRE

Longtemps méconnu, Lovecraft est aujourd'hui considéré comme le père de la littérature fantastique moderne et c'est à bon droit que Francis Lacassin compare, dans ce domaine, l'influence de son œuvre à celle des poèmes homériques ou des chansons de geste.

L'intérêt particulier des récits rassemblés dans le présent recueil est de nous fournir une illustration vivante de ce remarquable phénomène de création collective, de cet effet d'entraînement que ne manque pas de susciter toute grande œuvre véritablement originale. Avec *La verte prairie, La mort ailée, La Chevelure de Méduse*, dont chaque ligne révèle l'inspiration, la marque et — pourrait-on dire — la « main » du créateur de Cthulhu, nous pénétrons dans l'atelier de Lovecraft. Récits tardifs certes, pour la plupart postérieurs aux grandes créations lovecraftiennes, mais qui néanmoins éclairent la genèse d'une œuvre et la naissance d'un genre.

H. P. LOVECRAFT

LÉGENDES DU MYTHE DE CTHULHU

« Toutes mes histoires, écrivait H. P. Lovecraft, même si elles n'ont aucun rapport entre elles, se rattachent à une tradition, une légende fondamentale selon laquelle ce monde a été peuplé autrefois par les êtres d'une autre race ; adeptes de la magie noire, ils ont perdu leur emprise sur cet univers et en ont été bannis mais ils continuent à vivre au-dehors et sont toujours prêts à reprendre possession de la terre. »

Ce recueil débute par l'*Appel de Cthulhu*. C'est à partir de cette histoire que Lovecraft se mit délibérément à échafauder le Mythe de Cthulhu et, jusqu'à la fin de sa vie, son œuvre majeure allait être consacrée au développement du Mythe.

Il comprend, en ordre sensiblement chronologique, les développements ultérieurs qu'ont apportés au Mythe les amis et correspondants de Lovecraft, de même que ceux des écrivains plus récents dont les contes publiés dans cette anthologie ne l'avaient jamais été auparavant. Un autre récit de Lovecraft, de même que ceux des écrivains plus récents dont les contes publiés dans cette anthologie ne l'avaient jamais été auparavant. Un autre récit de Lovecraft a été également inclus : il s'agit de l'*Habitué des Ténèbres*, écrit pour répondre au pastiche le Tueur stellaire que Robert Bloch avait fait de Lovecraft.

Les autres récits groupés dans ce recueil sont ceux qui ont été composés pour enrichir le Mythe par Clark Ashton Smith, Franck Belknap Long, Robert Bloch, Robert E. Howard, moi-même et quelques autres. Les nouvelles de James Wade et Colin Wilson paraissent ici pour la toute première fois.

August DERLETH

Alfred HITCHCOCK présente

Presses
Pocket

Histoires terrifiantes

Toutes les histoires que j'ai réunies dans ce recueil, nous dit Alfred Hitchcock, sont associées au sentiment délicieux de la peur.

Quelques-unes d'entre elles m'ont littéralement terrifié. D'autres m'ont profondément troublé et m'ont laissé une impression de malaise intense.

D'autres enfin m'ont secoué de frissons ou m'ont glacé jusqu'à la moelle des os à mesure que j'avançais dans leur lecture.

Quelques-unes ont produit simultanément sur moi tous ces effets.

C'est pourquoi je vous invite à partager avec moi ces émotions d'autant plus exquises qu'on en fait l'expérience chez soi, entre les bras d'un bon fauteuil.

Alfred HITCHCOCK présente

Histoires qui font mouche

Il y a d'abord l'extraordinaire nouvelle de George Langelaan où l'auteur fait doublement mouche, et c'est ce qui m'a fourni le titre de ce recueil.

Mais ce titre est tout aussi justifié avec l'histoire de la *Mère à contre cœur*... Mettez-vous un peu à la place de son mari... Il y a vraiment de quoi prendre la mouche ! Et si vous pensiez qu'il ne peut y avoir aucun mal à aimer Dickens, vous vous sentirez terriblement mouché après avoir lu ce qu'a imaginé le grand Evelyn Waugh.

Je crois avoir fait mouche aussi en sélectionnant pour vous un auteur japonais, Mitsu Yamamoto qui, avec son *Tapis bleu*, réussit même à se montrer extrêmement chinois.

Quant à l'héroïne de Ross MacDonald, ce qui donne du piquant à son visage, ce n'est pas une mouche assassine, mais une barbe !

Alfred HITCHCOCK présente

Histoires qui riment avec crime

J'ai un faible pour les histoires où un plan, longuement mûri et étudié jusqu'en ses moindres détails, se trouve finalement mis en échec par un événement imprévu ou une précaution qui se révèle être à double tranchant. J'en ai mis quelques-unes dans ce volume, dues notamment à Richard Deming ou Tom MacPherson. Et parmi les autres, comme toujours avec moi, vous trouverez cette bonne dose d'humour — souvent noir ! — qui est à une anthologie de nouvelles policières bien conçues ce que la truffe est au foie gras.

Alfred HITCHCOCK présente

Histoires à donner des sueurs froides

" Histoires à donner des sueurs froides " que *Le fantôme au grand cœur* ou *Les yeux fermés* ? Certains lecteurs le contesteront peut-être mais ils reconnaîtront aussi que dans cette nouvelle livraison je suis resté fidèle à mon cocktail d'humour et d'effroi... Et parmi les histoires rassemblées dans ce volume il en est une surtout qui m'a glacé le sang, même en cette seconde lecture. C'est bien simple : rien que d'y repenser encore, je sens effectivement mes tempes s'humecter, mon estomac se nouer et mon dos parcouru de frissons...

Je vous laisse deviner laquelle.

Achevé d'imprimer en mars 1985
sur les presses de l'Imprimerie Bussière
à Saint-Amand (Cher)

PRESSES POCKET — 8, rue Garancière — 75006 Paris.
Tél. : 634-12-80.

— N° d'édit. 2080. — N° d'imp. 360. —
Dépôt légal mars 1985.

Imprimé en France